On y va! 2

Teacher's Guide
Answer Key
Fiches et tests

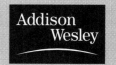

On y va! 2   Teacher's Guide

Teacher's Guide Answer Key *Fiches et tests*

Publisher: Hélène Goulet
Managing Editor: Anita Reynolds MacArthur
Product Manager: Audrey Wearn
Educational Consultant: Diane Masschaele
Advisor: Nancy Fornasiero
Contributing Authors: Elaine Gareau, Michael Salvatori
Project Leader & Developmental Editor: Elaine Gareau
Project Coordinator: Marie Cliche
Contributing Editors: Gina Boncore Crone, Lisa Cupoli
Production Editors: Marie Cliche, Nadia Chapin, Louise Cliche, Micheline Karvonen, Tanjah Karvonen
Production Coordinator: Helen Luxton
Design: David Cheung, Zena Denchik
Formatting: Kim Monteforte/Heidy Lawrance Associates
Cover Design: Dave Cutler/SIS
Audio Production: Lorne Green, Producers' Choice Studio
Audio Talent: Claude Michel, Louise Naubert
Singer/Songwriter: Claude Michel
Video Producer: Robert Gibbons

Acknowledgements
Pearson Education Canada wishes to thank Nancy Fornasiero for contributing her knowledge and expertise to the content and methodology of this project; as well as teachers and consultants who contributed to this program through reviews, focus groups and pilot projects.

Thank you to all the performers who participated in the audio portion of this program.

Printed and bound in Canada
This book contains recycled product and is acid free.

ISBN 0-201-69794-7
ISBN 0-321-12577-0

1 2 3 4 5 6 - MP - 07 06 05 04 03 02

Vouloir, pouvoir et devoir (révision)

Utilise la bonne forme du verbe entre parenthèses pour compléter chaque phrase.

Exemple : Nous _____ manger de la pizza ce soir. (vouloir)
Nous _*voulons*_ manger de la pizza ce soir.

1. Est-ce que tu ____*dois*____ travailler au *Roi du poulet* ce weekend? (devoir)

2. Je ___*veux*___ commander trois portions de poulet et une boisson. (vouloir)

3. Est-ce que nous ___*pouvons*___ préparer des tacos pour le souper? (pouvoir)

4. Est-ce qu'on ___*peut*___ commander de la poutine dans ce casse-croûte? (pouvoir)

5. Elle ____*doit*____ choisir son repas parce qu'il y a cinq personnes derrière elle. (devoir)

6. ____*Pouvez*-vous nommer les ingrédients dans ce plat délicieux? (pouvoir)

7. Les jeunes ___*veulent*___ toujours manger à ce casse-croûte! (vouloir)

8. Nous _*voulons*_ manger au centre commercial. (vouloir)

9. Lucille et Sophie ___*doivent*___ être plus patientes avec les clients. (devoir)

10. Il y a trop de choix dans ce menu! Nous ne ___*pouvons*___ pas décider! (pouvoir)

11. Le propriétaire du restaurant ___*veut*___ trouver un bon slogan. (vouloir)

12. Si tu as une bonne idée, tu ___*peux*___ gagner le concours. (pouvoir)

13. Est-ce que nous ___*devons*___ payer l'addition tout de suite? (devoir)

14. ____*Voulez*-vous nous accompagner à *La vache Cha Cha Cha*? (vouloir)

15. Vous ___*devez*___ penser à un nom qui va attirer les clients. (devoir)

Le présent avec des sujets singuliers (révision)

Utilise la bonne forme du verbe entre parenthèses pour compléter chaque phrase.

Exemple : Elle _____ toujours le même plat à ce restaurant. (choisir)

Elle ___*choisit*___ toujours le même plat à ce restaurant.

1. Est-ce qu'on ___*vend*___ des fajitas à la *Casa Loca*? (vendre)

2. Chez toi, qui ___*fait*___ la cuisine? Toute la famille? (faire)

3. Pour créer la pizza idéale, je ___*choisis*___ des ingrédients frais. (choisir)

4. Ce casse-croûte est très populaire, alors on ___*attend*___ toujours! (attendre)

5. Cette fin de semaine, je ___*vais*___ *Chez Luigi* pour célébrer mon anniversaire. (aller)

6. Est-ce que tu ___*entends*___ ta mère t'appeler pour le souper? (entendre)

7. Si tu ___*finis*___ tes devoirs, nous pourrons aller au casse-croûte. (finir)

8. Je ___*fais*___ très attention aux ingrédients. (faire)

9. Le serveur ___*répond*___ au téléphone pour prendre des commandes. (répondre)

10. Je ne ___*réussis*___ jamais à manger ce gros hamburger! (réussir)

11. Est-ce que tu ___*vas*___ souvent à ce casse-croûte? (aller)

12. Le samedi, je ___*descends*___ en ville et je mange au casse-croûte. (descendre)

13. Martin ___*réfléchit*___ longtemps avant de commander. (réfléchir)

14. Nancy ___*va*___ au centre commercial avec ses amis. (aller)

15. On ___*bâtit*___ un nouveau casse-croûte en ville. (bâtir)

L'accord du verbe (révision)

A **Complète les phrases suivantes avec le verbe entre parenthèses. Attention à l'accord!**

Exemple : Sara et Jonas _____ le restaurant depuis dix minutes. (chercher)

Sara et Jonas _*cherchent*_ le restaurant depuis dix minutes.

1. Moi et mes amis __*adorons*__ la crème glacée chez *Coco*. (adorer)

2. Lise, Pauline et toi __*pouvez*__ m'attendre au coin. (pouvoir)

3. Richard et Jules __*préparent*__ de la pizza et des tacos ce soir. (préparer)

4. Vous et votre famille __*aimez*__ sortir le samedi soir pour manger. (aimer)

5. Mon frère et moi __*payons*__ l'addition ensemble. (payer)

B **Choisis le pronom logique pour compléter les phrases suivantes. Attention à l'accord!**

Exemple : _____ désirez manger à un restaurant grec.
(Toi et Pierre / Marcel et moi)
*Toi et Pierre* désirez manger à un restaurant grec.

1. __*Ma grand-mère et moi*__ faisons la cuisine ensemble tous les dimanches.
(Luc et Céline / Ma grand-mère et moi)

2. Comment est-ce que __*toi et Sami*__ préparez votre sauce? (toi et Sami / nous)

3. __*Lucien et Gilles*__ commandent de la pizza aux champignons et aux oignons.
(Toi et moi / Lucien et Gilles)

4. __*Toi et moi*__ devons être plus patients avec les clients. (Toi et moi / Berthe et toi)

5. Où est-ce que __*toi et tes cousins*__ allez souper ce soir? (Raoul et Jean / toi et tes cousins)

Le présent avec des sujets pluriels (révision)

Utilise la bonne forme du verbe entre parenthèses pour compléter chaque phrase.

Exemple : Elles _____ à faire des réservations pour six personnes. (réussir)

Elles _réussissent_ à faire des réservations pour six personnes.

1. Les jeunes _répondent_ au sondage sur leurs casse-croûte favoris. (répondre)

2. Quand vous _finissez_ vos repas, mettez vos déchets à la poubelle. (finir)

3. À l'école, nous _vendons_ des hot dogs à l'heure du dîner. (vendre)

4. Les Italiens _font_ de la pizza authentique. (faire)

5. _Allons_-nous manger au casse-croûte ce soir? (aller)

6. Les élèves _choisissent_ de bons slogans. (choisir)

7. Les amis _descendent_ en ville pour manger au restaurant. (descendre)

8. Tous les samedis, mes parents _vont_ à *La coquille du taco*. (aller)

9. Nous ne _réussissons_ pas à trouver une table ici. (réussir)

10. Pensez-vous aux calories quand vous _faites_ votre choix? (faire)

11. Vous _attendez_ avec patience parce que vous aimez les mets chinois. (attendre)

12. Ils _réfléchissent_ avant de choisir un casse-croûte. (réfléchir)

13. Nous _faisons_ toujours des choix de repas nutritifs. (faire)

14. Nous _perdons_ patience quand nous devons attendre. (perdre)

15. Est-ce que vous _choisissez_ souvent des mets épicés? (choisir)

La bonne forme de l'impératif (révision)

Complète les phrases suivantes avec la bonne forme de l'*impératif*.

Exemple : Louis, _____ chercher un menu pour Madame. (va, allons, allez)
Louis, ____*va*____ chercher un menu pour Madame!

1. Nous n'avons pas beaucoup de temps. ___*Choisissons*___ nos repas! (Choisis, Choisissons, Choisissez)

2. Attention, Claudette! Ne ___*mets*___ pas trop de sel sur tes frites. Ce n'est pas bon pour la santé. (mets, mettons, mettez)

3. Bonsoir, mesdames et messieurs! Voici le menu. ___*Prenez*___ votre temps! (Prends, Prenons, Prenez)

4. La soupe est très chaude, Michelle. ___*Attends*___ un peu avant de la manger! (Attends, Attendons, Attendez)

5. ___*Finissons*___ notre conversation dans ce café! (Finis, Finissons, Finissez)

6. ___*Entrez*___, mes amis! Je suis content de vous voir. (Entre, Entrons, Entrez)

7. Nous devons penser à un projet pour notre classe… ___*Faisons*___ une vente de hot dogs! (Fais, Faisons, Faites)

8. Jeanne, ___*écris*___ les commandes des clients! (écris, écrivons, écrivez)

9. Hé, les amis, ___*écoutez*___ tout ce bruit! Qu'est-ce qui se passe? (écoute, écoutons, écoutez)

10. C'est facile! ___*Lis*___ le menu et fais ton choix. (Lis, Lisons, Lisez)

11. ___*Mangeons*___ *Chez Luigi*! Nous pouvons commander une pizza. (Mange, Mangeons, Mangez)

12. ___*Commandez*___ un repas économique, Monsieur! (Commande, Commandons, Commandez)

13. ___*Regarde*___ le menu, Sasha, il y a beaucoup de choix! (Regarde, Regardons, Regardez)

14. Monsieur et Madame, ___*buvez*___ les laits frappés de *La vache Cha Cha Cha*! (bois, buvons, buvez)

15. Nous avons fini de manger. ___*Payons*___ le serveur! (Paye, Payons, Payez)

L'impératif (révision)

A **Complète les phrases suivantes avec la bonne forme de l'*impératif*.**

> **Exemple :** Serge! _____ ta soupe sans faire de bruit! (Mange, Mangeons, Mangez)
>
> Serge! ___Mange___ ta soupe sans faire de bruit!

1. Attention, les élèves! ___Écoutez___ bien les directives! (Écoute, Écoutons, Écoutez)

2. ___Présentons___ notre projet à la classe aujourd'hui! (Présente, Présentons, Présentez)

3. Jean et Carole, ___allez___ au tableau! (va, allons, allez)

4. ___Finis___ tes devoirs, Marie! (Finis, Finissons, Finissez)

5. ___Parlez___ moins fort, les enfants! (Parle, Parlons, Parlez)

B **Fais des suggestions aux personnes suivantes. Utilise la bonne forme de l'*impératif*.**

> **Exemple :** (deux élèves) Écouter / le professeur
>
> ___Écoutez le professeur!___

1. (toi et ton cousin) Commander / le repas économique

   ___Commandez le repas économique.___

2. (la mère d'une de vos amies) Attendre ici / s'il vous plaît

   ___Attendez ici s'il vous plaît.___

3. (une camarade de classe) Donner / la bonne réponse au professeur

   ___Donne la bonne réponse au professeur.___

4. (toi et ton partenaire) Chanter / la chanson pour notre annonce publicitaire

   ___Chantez la chanson pour votre annonce publicitaire.___

5. (deux clients) Regarder / le menu

   ___Regardez le menu.___

On y va! 2 Teacher's Guide | Unit 1: *Au casse-croûte* | Copyright © Pearson Education Canada Inc.

Le vous de politesse (révision)

Fais des phrases en choisissant le bon pronom sujet *tu* ou *vous* selon l'indice.

Exemple : (ton professeur) Lire / mon projet en premier

Lisez mon projet en premier!

1. (une amie) Sortir / avec moi ce soir

    Sors avec moi ce soir!

2. (un client) Prendre / votre temps avant de décider

    Prenez votre temps avant de décider!

3. (ta sœur) Finir / le bol de soupe

    Finis le bol de soupe!

4. (une touriste) Tourner / à gauche à la prochaine rue

    Tournez à gauche à la prochaine rue!

5. (un camarade de classe) Mettre / les livres sur le pupitre

    Mets les livres sur le pupitre!

6. (une amie de ta mère) Goûter / à mes biscuits

    Goûtez à mes biscuits!

7. (ton petit frère) Apporter / les ingrédients dans la cuisine

    Apporte les ingrédients dans la cuisine!

8. (ton patron) Choisir / un mets mexicain

    Choisissez un mets mexicain!

9. (le directeur de ton école) Entrer

    Entrez!

10. (ton partenaire) Parler / plus fort

    Parle plus fort!

Les accents (révision)

Lis les phrases et ajoute les accents qui manquent : l'accent aigu, l'accent grave et l'accent circonflexe.

1. Le client commande une crème glacée rafraîchissante. (3 accents)

2. Mon casse-croûte préféré s'appelle *Chez Luigi.* (4 accents)

3. Je prends toujours des frites épicées quand je vais à *La coquille du taco.* (3 accents)

4. Ce casse-croûte offre des mets végétariens. (3 accents)

5. Le serveur dit au client difficile qu'il est nécessaire de prendre une décision. (2 accents)

6. Est-ce que je peux commander un lait frappé, s'il vous plaît? (2 accents)

7. Maryse prépare des mets réconfortants à la maison. (3 accents)

8. Le repas économique est trois portions de votre plat préféré. (4 accents)

9. Qu'est-ce que vous désirez? (1 accent)

10. Moi, je préfère les mets sucrés. (3 accents)

11. Les élèves vont au centre commercial pour dîner. (3 accents)

12. Le repas économique coûte 3,99 $. (2 accents)

13. Ce casse-croûte offre des salades et des légumes. (2 accents)

14. Est-ce que je peux choisir un goûter au lieu d'un repas complet? (1 accent)

15. Le patron demande à la serveuse de répondre au téléphone. (4 accents)

Des mots qui riment (révision)

Lis les mots à voix haute et trouve dans la liste des mots utiles un autre mot avec le même son.

Exemple : je fais   un mets   _____

              je fais   un mets   *le lait* _____

1. l'imagination   une décision   *une portion*

2. trois   un choix   *le roi*

3. il dit   le prix   *le riz*

4. végé   commander   *le goûter*

5. un achat   un plat   *le repas*

6. plus   tu   *le menu*

7. tu préfères   faire   *plaire*

8. bien   rien   *viens*

9. l'usine   la farine   *la cuisine*

10. monsieur   deux   *je peux*

11. un plan   un slogan   *un client*

12. spécial   idéal   *commercial*

13. vouloir   pouvoir   *devoir*

14. sortir   choisir   *dire*

15. ma sœur   la peur   *le serveur*

Mots utiles

un client	dire	je peux	le riz
commercial	le goûter	plaire	le roi
la cuisine	le lait	une portion	le serveur
devoir	le menu	le repas	viens

Écoutons! Test de compréhension orale

A **Écoute ces jeunes. Chaque personne décrit son mets préféré. Écris la lettre du casse-croûte approprié pour chaque personne.**

Exemple : [e] Maryse

1. [b] Isabelle   **a)** *La magie du riz*
2. [f] Naomi   **b)** *Chez Luigi*
3. [d] Tim   **c)** *La vache Cha Cha Cha*
4. [a] Chandra   **d)** *Le roi du poulet*
5. [c] Darko   **e)** *Casse-croûte végé V / G*
                          f) *La coquille du taco*

B **Écoute bien. Qui parle? Le client ou la cliente? Le serveur ou la serveuse? Coche la bonne case.**

	Le client ou La cliente	Le serveur ou La serveuse
Exemple :	☐	✔
1.	✔	☐
2.	✔	☐
3.	☐	✔
4.	✔	☐
5.	☐	✔

C **Écoute la première phrase. Ensuite, encercle la bonne forme du verbe pour la deuxième phrase.**

Exemple : En premier, ((écoute), écoutons, écoutez) les clients!

1. Oui! (Pars, (Partons), Partez) tout de suite!
2. (Choisis, Choisissons, (Choisissez)) trois portions pour seulement 3,49 $!
3. (Commande, (Commandons), Commandez) une pizza!
4. (Regarde, Regardons, (Regardez)) notre menu!
5. ((Fais), Faisons, Faites) attention!

Parlons! Test de communication / production orale

Prépare des réponses orales pour les questions et les situations suivantes. Après, ton ou ta partenaire va te lire 10 questions ou situations.

Answers will vary.

A Fais une suggestion. Utilise les verbes *vouloir, pouvoir* ou *devoir*.

1. David veut manger des mets mexicains. Où est-ce qu'il peut aller?
2. Samantha veut manger des mets chinois. Où est-ce qu'elle peut aller?
3. Je veux manger des mets italiens. Où est-ce que je peux aller?
4. Nicole ne veut pas de tomates dans son taco. À qui est-ce qu'elle peut parler?
5. Tu veux travailler dans un casse-croûte. À qui est-ce que tu dois parler?
6. Il y a une erreur dans leur commande. À qui est-ce qu'ils doivent parler?
7. Adam a un client difficile. Qu'est-ce qu'il doit faire?
8. Toi et tes amis ne pouvez pas choisir une pizza. Que faites-vous?
9. Fatin et Myra ont faim. Qu'est-ce qu'elles veulent faire?
10. Nous attendons longtemps à un casse-croûte. Qu'est-ce que nous voulons faire?

B Utilise l'*impératif* pour donner une suggestion ou un ordre.

1. La serveuse dit au client de regarder le menu.
2. Le professeur dit aux élèves de préparer un concept pour un casse-croûte.
3. Le professeur demande à un élève de nommer son mets préféré.
4. Tu suggères à ton groupe d'amis d'aller au casse-croûte avec toi.
5. Le serveur dit au client de choisir le repas économique.
6. Tu dis à ton ami d'attendre devant l'école.
7. Tu suggères à ton groupe d'amis de commander une pizza avec toi.
8. Ton professeur dit à la classe de finir le projet.
9. Tu dis à ton frère de ne pas mettre trop de sel sur les frites.
10. Le patron dit au serveur de répondre au téléphone.

C Donne une réponse personnelle. Utilise le vocabulaire de cette unité.

1. Quel est ton casse-croûte préféré? Pourquoi?
2. Décris un repas de rêve dans un casse-croûte.
3. Quelles qualités sont importantes pour travailler dans un casse-croûte?
4. Répète le slogan d'un vrai casse-croûte. Pourquoi est-ce que ce slogan est bien choisi?
5. Quels condiments et quels légumes est-ce que tu aimes sur ton hamburger?

Lisons! Test de lecture

A   Lis ces descriptions de quatre concepts gagnants.

Ces entrepreneurs veulent ouvrir des restaurants et des casse-croûte. Aujourd'hui, leurs rêves sont des réalités!

Bonjour! Je m'appelle Glen Bell. Nous sommes en 1962. Je veux ouvrir un nouveau casse-croûte à Downey, en Californie. Mon restaurant va s'appeler *Taco Bell*. Moi, j'adore les mets mexicains. *Taco Bell* est un concept gagnant parce que beaucoup de gens veulent manger des mets mexicains aussi. Chez *Taco Bell,* les clients peuvent commander des tacos, des burritos et des fajitas. Voici mon slogan : *Yo Quiero Taco Bell*. Mon slogan veut dire «J'aime Taco Bell», en espagnol!

Bonjour! Je m'appelle Ron Joyce. Nous sommes en 1964. Je veux ouvrir un nouveau casse-croûte à Hamilton, en Ontario. Mon restaurant va s'appeler *Tim Hortons,* parce que mon partenaire s'appelle Tim Horton. Il joue au hockey dans la Ligue nationale de hockey et il est un bon modèle pour les jeunes parce qu'il est contre la violence dans le sport. Chez *Tim Hortons,* les clients peuvent commander du café et des beignes. Nous offrons des créations originales comme des beignets aux pommes et nos serveurs doivent servir du café frais. C'est un concept gagnant! Tim et moi, nous avons un slogan simple : *Toujours frais*. J'ai d'autres idées aussi. Hmm… Imaginez des *Timbits,* par exemple!

Bonjour! Je m'appelle Fred DeLuca. Nous sommes en 1965 et j'ai 17 ans. Je veux ouvrir un nouveau casse-croûte à Bridgeport, au Connecticut. Mon restaurant va s'appeler *Subway*. Un ami de ma famille va m'aider avec les finances. Ensuite, je vais aller au collège. *Subway* est un concept gagnant parce que tous les ingrédients sont frais. Nous servons des sandwichs sous-marin. Regardez tous les choix! Le client ou la cliente peut choisir le pain, la viande et les légumes : de la laitue, des tomates, des poivrons verts, des oignons, des olives et des cornichons. C'est un concept gagnant!

Bonjour! Je m'appelle Dave Thomas. Nous sommes en 1969. Je veux ouvrir un nouveau casse-croûte à Columbus, en Ohio. Mon restaurant va s'appeler *Wendy's*. Je pense que ce nom est une bonne idée parce que Wendy est le surnom de ma fille, Melinda Lou. Mon casse-croûte est un concept gagnant parce que les serveurs et moi voulons bien servir les familles. Les familles sont très importantes pour moi parce que j'ai été adopté. Chez *Wendy's,* les familles peuvent commander des hamburgers, du chili, des frites, des boissons gazeuses et des laits frappés dans une atmosphère amicale. Mangez chez *Wendy's*!

Lisons! Test de lecture (suite)

B **Relis le texte et réponds aux questions suivantes.**

1. **a)** Quel entrepreneur est canadien? _____ Ron Joyce _____

    b) Quel entrepreneur est très jeune? _____ Fred DeLuca _____

2. **a)** Quel entrepreneur a été adopté? _____ Dave Thomas _____

    b) Quel entrepreneur veut aller au collège? _____ Fred DeLuca _____

3. **a)** Quel slogan est en espagnol? _le slogan de Taco Bell_

    b) Quel slogan décrit la qualité des mets? _le slogan de Tim Hortons_

4. **a)** Selon le texte, quel casse-croûte offre des frites? _____ Wendy's _____

    b) Selon le texte, quel casse-croûte offre des beignets aux pommes?
    Tim Hortons

5. **a)** Quel casse-croûte utilise le nom d'un joueur de hockey?
    Tim Hortons

    b) Quel casse-croûte utilise le surnom de la fille de l'entrepreneur?
    Wendy's

6. **a)** Quel casse-croûte offre un choix d'ingrédients frais? _Subway_

    b) Quel casse-croûte offre des mets mexicains? _Taco Bell_

7. **a)** Quel casse-croûte utilise le nom de l'entrepreneur? _Taco Bell_

    b) Quel casse-croûte utilise le nom du mets principal? _Subway_

8. **a)** Quel casse-croûte veut plaire aux familles? _Wendy's_

    b) Quel casse-croûte veut plaire aux gens intéressés à la cuisine internationale?
    Taco Bell

9. **a)** Quel casse-croûte offre une atmosphère amicale? _Wendy's_

    b) Quel casse-croûte offre un modèle aux jeunes? _Tim Hortons_

10. Quel est ton casse-croûte préféré? Pourquoi?
    Answers will vary.
    _____
    _____
    _____
    _____

Écrivons! Test d'écriture

Answers will vary.

Avant de commencer, choisis ton casse-croûte préféré et fais une recherche sur Internet.

Imagine que tu es l'entrepreneur(e) responsable de ce concept gagnant. Décris le casse-croûte que tu veux créer. Écris un article d'au moins 20 phrases.

Utilise les questions suivantes pour t'aider à écrire ton article.

- Comment t'appelles-tu?
- En quelle année sommes-nous?
- Quel âge as-tu?
- Où est-ce que tu habites?
- Qu'est-ce que tu veux faire?
- Où est-ce que tu veux ouvrir ton casse-croûte? (en ville, dans un centre commercial, etc.)
- Comment va s'appeler ton casse-croûte?
- Pourquoi est-ce que tu aimes ce nom?
- Combien de mets est-ce qu'il y a sur le menu?
- Qu'est-ce que les clients peuvent commander?
- Décris les mets.
- Quelles boissons est-ce que les clients peuvent commander?
- Quels sont les prix des mets et des boissons?
- Est-ce qu'il y a un repas économique?
- Qu'est-ce que c'est?
- Quel est le prix du repas économique?
- Qu'est-ce que les serveurs doivent faire dans ton casse-croûte?
- Qu'est-ce que toi et les serveurs voulez offrir aux clients?
- Pourquoi est-ce que ton casse-croûte est un concept gagnant?
- Quel est ton slogan? Explique.

Utilise les verbes *vouloir*, *pouvoir* et *devoir*.

Utilise l'*impératif*.

Utilise un sujet composé.

Utilise des mots de vocabulaire de l'unité.

Le passé composé des verbes réguliers avec *avoir*

Complète le courriel de Cathy avec le *passé composé* des verbes entre parenthèses. Attention au sujet du verbe et à la forme du participe passé (er–é, ir–i, re–u)!

De : étoile@cyberstar.ca

Date : le 21 octobre

À : Lesmouches@galactica.ca

Kevin,

J'ai _____décidé_____ (décider) d'écrire cette lettre parce que toi et ton groupe _avez_ _refusé_ (refuser) de me rencontrer après le concert *Électrica* la semaine passée. Oui, j'_ai_ _____entendu_____ (entendre) ma chanson. Non, je n'_ai_ pas très bien _réagi_ (réagir). Tu _as_ _volé_ (voler) ma chanson, Kevin. Est-ce que tu _as_ _réfléchi_ (réfléchir) aux conséquences de ce mensonge? Tu _as_ _perdu_ (perdre) la tête, sans doute.

J'ai _____raconté_____ (raconter) cette histoire à un ami. Dave _a_ _répondu_ (répondre) immédiatement à mon courriel et il _a_ _accepté_ (accepter) de m'aider. Ensemble, nous _avons_ _établi_ (établir) les faits. Nous _avons_ _retracé_ (retracer) les événements et Dave _a_ _réussi_ (réussir) à trouver des preuves. Julie, la petite amie de Mike, _a_ _filmé_ (filmer) sa fête le mois dernier. Elle _a_ _donné_ (donner) une copie de la vidéo à tous les artistes de la soirée. J'_ai_ _chanté_ (chanter) et tu _as_ _chanté_ (chanter) ce soir-là. Il y a beaucoup de témoins. Ensuite, tu _as_ _regardé_ (regarder) la vidéo et tu _as_ _copié_ (copier) ma chanson!

Toi et moi, nous n'_avons_ pas _____fini_____ (finir) de nous parler, Kevin. Tu dois maintenant acheter les droits d'auteur pour cette chanson.

Déterminée,

Cathy >:-(

Les adjectifs possessifs

On utilise un adjectif possessif pour montrer une relation de possession.

L'adjectif possessif s'accorde en *genre* (masculin ou féminin) et en *nombre* (singulier ou pluriel) avec le nom qu'il accompagne.

Exemple : Dave et moi écrivons un courriel. (masc. sing.) → C'est **notre** courriel. (masc. sing.)
Vous avez des preuves. (fém. plur.) → Ce sont **vos** preuves. (fém. plur.)

Pronoms personnels	Adjectifs possessifs		
	masculin singulier	féminin singulier	masculin & féminin pluriel
je	mon	ma	mes
tu	ton	ta	tes
il / elle / on	son	sa	ses
nous	notre		nos
vous	votre		vos
ils / elles	leur		leurs

Complète les phrases avec les bons adjectifs possessifs.

Exemple : Le groupe présente un spectacle. C'est ___son___ (son, sa, ses) spectacle.

1. Tu es responsable de ce mensonge. C'est ___ton___ (ton, ta, tes) mensonge.

2. *Les Mouches* chantent une chanson. Est-ce que c'est ___leur___ (leur, leurs) chanson?

3. Cathy et moi faisons des recherches. Ce sont ___nos___ (notre, nos) recherches.

4. C'est la fête de Mike. C'est ___sa___ (son, sa, ses) fête.

5. Cette copie de la vidéo est à toi et à Dave. C'est ___votre___ (votre, vos) copie.

6. J'écris des courriels tous les jours. Ce sont ___mes___ (mon, ma, mes) courriels.

7. Cette vidéo est à toi et à moi. C'est ___notre___ (notre, nos) vidéo.

8. Toi et ton ami(e) avez des idées. Ce sont ___vos___ (votre, vos) idées.

9. Voici les compositions musicales du groupe *Les Mouches*. Ce sont ___leurs___ (leur, leurs) compositions.

10. Nous terminons l'enquête. C'est ___notre___ (notre, nos) enquête.

Le passé composé des verbes irréguliers avec *avoir*

A **Trouve les *participes passés irréguliers* des verbes suivants.**

Exemple : avoir ___*eu*___   **1.** être ___*été*___

2. prendre ___*pris*___   **3.** faire ___*fait*___

4. mettre ___*mis*___   **5.** voir ___*vu*___

B **Trouve les réponses aux questions suivantes dans le texte *Le cas de la planche à roulettes disparue* aux pages 27–30 de ton livre. Qui...**

Exemple : a vu M. Roman à midi?
Mme Brunard a vu M. Roman à midi.

1. a été nerveux pendant l'interrogation? *Sébastien a été nerveux pendant l'interrogation.*

2. a écrit une carte pour son amie? *Sonia a écrit une carte pour son amie.*

3. a mis sa planche dans son casier? *Alex a mis sa planche dans son casier.*

4. a eu une réunion avec Mme Brunard? *M. Roman a eu une réunion avec Mme Brunard.*

5. a mangé une pointe de pizza pour son dîner? *Sébastien a mangé une pointe de pizza pour son dîner.*

C **Complète la conversation avec le *passé composé* des verbes irréguliers de la Partie A. Sois logique!**

Exemple : – Où est-ce que j'*ai* *mis* mon lecteur de disques compacts?
       – Dans mon casier.

1. – Qu'est-ce que tu ___*as*___ ___*fait*___ à midi?

   – J'ai parlé avec mes ami(e)s.

2. – Qui est-ce que vous ___*avez*___ ___*vu*___ près de vos casiers?

   – Personne.

3. – Pourquoi est-ce que Steve et Cam ___*ont*___ ___*été*___ surpris à la cafétéria?

   – Parce qu'ils ont vu leur ami.

4. – À quelle heure est-ce que nous ___*avons*___ ___*eu*___ le message?

   – À 15 h 30.

5. – Quels objets est-ce que le voleur ou la voleuse ___*a*___ ___*pris*___?

   – Un lecteur de disques compacts et un stylo!

Partir et sortir

A **Les verbes *partir* et *sortir* sont des verbes irréguliers. Complète les conjugaisons de verbes à l'aide de la section de *Références* dans ton livre.**

Partir

je pars
tu __pars__
il part
__elle__ part
on part
nous __partons__
vous partez
ils partent
elles __partent__

Sortir

__je__ sors
tu sors
__il__ sort
elle __sort__
on sort
nous sortons
vous __sortez__
ils __sortent__
elles sortent

B **Utilise les formes correctes du verbe *partir* pour compléter chaque phrase.**

1. – À quelle heure est-ce que vous _____**partez**_____ pour le spectacle?
   – Nous _____**partons**_____ à dix-huit heures trente.

2. – Est-ce que M. Roman _____**part**_____ pour la réunion à midi?
   – Oui. M. Roman et Mme Brunard _____**partent**_____ à midi juste.

3. – Est-ce qu'on _____**part**_____ avec Laurent après l'école?
   – Non, nous ne _____**partons**_____ pas avec Laurent. Il a un rendez-vous.

4. – Quand est-ce que tu _____**pars**_____ pour la maison?
   – Je _____**pars**_____ après les classes.

5. – Quand est-ce qu'Alex _____**part**_____ pour le concours de planche à roulettes?
   – Sonia et Alex _____**partent**_____ pour le concours demain matin.

C **Utilise les formes correctes du verbe *sortir* pour compléter chaque phrase.**

1. – Tu _____**sors**_____ à midi?
   – Oui, je _____**sors**_____ seul. Je vais chez *Monsieur Hamburger*.

2. – Quand est-ce que Sébastien et Sonia _____**sortent**_____?
   – Ils _____**sortent**_____ samedi soir.

3. – Avec qui est-ce que vous _____**sortez**_____?
   – Nous _____**sortons**_____ avec nos ami(e)s.

4. – Est-ce que Laurent _____**sort**_____ à midi?
   – Non, il ne _____**sort**_____ pas à midi. Il va à la bibliothèque.

5. – On _____**sort**_____ après les classes?
   – Non, nous ne _____**sortons**_____ pas. Nous avons rendez-vous avec Mme Brunard.

D **Lis les conversations à voix haute avec un ou une partenaire.**

Les adverbes en –ment

Choisis un adverbe logique pour compléter chaque conversation.

1. – Veux-tu aller au centre commercial avec moi après les classes?
   – Oui, mais, __premièrement__, je dois répondre à mes courriels.
   (nerveusement, calmement, premièrement)

2. – As-tu vu Cathy?
   – Oui. Elle est __extrêmement__ agitée. Quelqu'un a volé sa chanson.
   (heureusement, extrêmement, rapidement)

3. – Est-ce qu'ils ont rencontré leurs amis après le concert?
   – __Probablement__. Ils rencontrent leurs amis tous les samedis soirs.
   (Logiquement, Seulement, Probablement)

4. – Penses-tu que *Les Mouches* chantent bien?
   – __Honnêtement__, je ne sais pas. Je ne les connais pas.
   (Heureusement, Honnêtement, Rapidement)

5. – As-tu fini l'enquête?
   – Non, mais je dois __absolument__ finir mes recherches aujourd'hui.
   (absolument, timidement, agressivement)

6. – Est-ce que le voleur ou la voleuse a pris d'autres objets?
   – Non, il ou elle a pris __seulement__ la planche à roulettes.
   (nerveusement, seulement, logiquement)

7. – Est-ce qu'elle fait souvent de la planche à roulettes?
   – Elle fait __rarement__ de la planche parce que ses amis préfèrent aller à bicyclette.
   (lentement, absolument, rarement)

8. – Est-ce que la directrice adjointe a parlé aux suspects?
   – Oui, et elle a écouté __attentivement__ leurs réponses.
   (attentivement, rapidement, premièrement)

9. – Penses-tu que Sonia est coupable?
   – Peut-être. Elle a répondu __lentement__ à toutes les questions.
   (logiquement, rarement, lentement)

10. – Avez-vous aidé la directrice à établir les faits?
    – __Certainement__. Nous voulons identifier le ou la coupable.
    (Certainement, Tranquillement, Probablement)

L'inversion

> **Tu veux poser une question? Il y a trois possibilités :**
>
> (l'intonation)   Tu as une planche à roulettes?
>
> (est-ce que)   **Est-ce que tu as** une planche à roulettes?
>
> (inversion)   **As-tu** une planche à roulettes?
>
> **Note :** S'il n'y a pas de «t», ajoute un «t» à l'inversion devant *il, elle, on, ils, elles.*
>
> **Exemple :** Il a une planche à roulettes?   Ils ont des planches à roulettes?
>
>   **A-t-il** une planche à roulettes?   **Ont-ils** des planches à roulettes?

Utilise l'*inversion* pour récrire les questions suivantes.

1. Est-ce que tu pars pour le concert maintenant?

   Pars-tu pour le concert maintenant?

2. Est-ce qu'elle chante ses propres compositions?

   Chante-t-elle ses propres compositions?

3. Est-ce que vous attendez vos amis?

   Attendez-vous vos amis?

4. Est-ce qu'il a une vidéo de la fête?

   A-t-il une vidéo de la fête?

5. Est-ce qu'ils composent toutes leurs chansons?

   Composent-ils toutes leurs chansons?

6. Est-ce que nous pouvons aller au concours?

   Pouvons-nous aller au concours?

7. Est-ce qu'il raconte le vol à la directrice?

   Raconte-t-il le vol à la directrice?

8. Est-ce que vous avez une réunion?

   Avez-vous une réunion?

9. Est-ce que tu veux examiner le lieu du crime?

   Veux-tu examiner le lieu du crime?

10. Est-ce qu'il y a des indices?

    Y a-t-il des indices?

Les mots français et anglais

Vérifie le sens des *faux amis* dans la section des mots utiles. Ces mots ressemblent à des mots anglais mais le sens est différent. Ensuite, utilise les mots pour compléter les phrases.

1. Cathy a ___*assisté*___ au concert *Électrica*.

2. Elle a ___*attendu*___ le groupe *Les Mouches* après le concert.

3. Dave a aidé Cathy avec cette ___*histoire*___ de vol.

4. Cathy n'a pas ___*gardé*___ le texte original de la chanson.

5. Cathy a ___*quitté*___ la fête de Mike après avoir chanté sa chanson.

6. Comment est-ce que Kevin peut connaître les ___*paroles*___ de la chanson?

7. Dave a dit à Cathy de ___*rester*___ calme et de retracer les événements.

8. M. Roman et Mme Brunard ont eu une ___*réunion*___ à midi.

9. M. Roman et Mme Brunard discutent du ___*spectacle*___.

10. Alex a raconté son ___*histoire*___ à Mme Brunard.

11. Mme Brunard a rencontré les trois suspects dans son ___*bureau*___.

12. Sonia a écrit une carte d'___*anniversaire*___ à midi.

13. Laurent est ___*occupé*___ à midi. Il étudie pour un test.

14. Sébastien est ___*désolé*___ parce qu'il ne veut pas être un suspect.

15. Sonia et Sébastien ont ___*quitté*___ l'école à midi.

Mots utiles

anniversaire	désolé	paroles	spectacle
assisté	gardé	quitté (X2)	
attendu	histoire (X2)	rester	
bureau	occupé	réunion	

Accent ou pas d'accent?

A **Complète les phrases suivantes avec *a* ou *à*.**

1. *Les Mouches* ne répondent pas _à_ ses questions.

2. Cathy n'_a_ pas le texte original.

3. Dave _a_ des idées géniales.

4. Nous assistons _à_ un concert de groupes amateurs.

5. Est-ce que Dave _a_ des preuves?

6. M. Roman ferme la bibliothèque _à_ midi.

7. La planche _à_ roulettes d'Alex n'est plus dans son casier.

8. Elle pose des questions _à_ Sébastien.

9. Madame Brunard _a_ trois suspects.

10. Est-ce qu'il y _a_ des indices?

B **Complète les phrases suivantes avec *e* ou *é*, *è*, *ê*.**

1. Cathy _é_ crit des chansons original_e_s.

2. Elle r_ê_ve d'une carri_è_re en musique.

3. Cathy ne connaît m_ê_me pas le group_e_ *Les Mouches*.

4. Dave acc_e_pte de faire une petite enqu_ê_te.

5. Il demande à Cathy de r_é_fléchir aux év_é_nements et aux faits.

6. M. Roman et Mme Brunard discutent des d_é_tails du sp_e_ctacle.

7. Madame Brunard quitte la r_é_union pour all_e_r au bureau.

8. Alex _é_change la combinaison de son cad_e_nas avec trois élèves.

9. Sébastien est n_e_rveux parce qu'il est s_e_ul pendant l'heure du dîner.

10. Est-ce que Mme Brunard r_é_ussit à identifier le ou la coupabl_e_ ?

Écoutons! Test de compréhension orale

A **Écoute la détective et réponds aux questions suivantes.**

1. La détective s'appelle…
   a) Chloé St. Pierre.
   b) Martine Lachance.
   c) Pierrette Chasseur. *(encerclé)*

2. À midi quinze, elle a eu…
   a) un appel. *(encerclé)*
   b) un courriel.
   c) une visite.

3. Un vol est signalé par…
   a) la victime. *(encerclé)*
   b) le directeur.
   c) la directrice adjointe.

4. Quelqu'un a volé…
   a) une radio portative.
   b) un jeu électronique. *(encerclé)*
   c) un lecteur de disques compacts.

5. La victime a mis l'objet volé dans son casier…
   a) avant les cours. *(encerclé)*
   b) à la récréation.
   c) à midi.

6. Le voleur a…
   a) pris le dîner de Martin.
   b) fermé la porte du casier. *(encerclé)*
   c) volé le cadenas.

7. L'indice est…
   a) le cadenas de Martin.
   b) une note dans le casier.
   c) l'emballage d'une tablette de chocolat. *(encerclé)*

8. Les suspects…
   a) connaissent Martin.
   b) ont du chocolat sur les mains. *(encerclé)*
   c) ne répondent pas aux questions.

9. La coupable a…
   a) demandé la permission de Martin. *(encerclé)*
   b) volé le lecteur de disques compacts.
   c) répondu aux questions de la détective.

10. La détective a…
    a) fait peur à trois suspects. *(encerclé)*
    b) trouvé la coupable.
    c) été fâchée.

B **Écoute la Partie A encore une fois. Associe chaque description aux images suivantes. Écris le bon numéro dans chaque case.**

2 **A**

6 **D**

5 **B**

4 **E**

1 **C**

3 **F**

Nom : _____   Date : _____

Parlons! Test de communication / production orale

Imagine que tu es détective. Tu as fait une enquête. Regarde les images et les mots-clés. Raconte l'histoire. Compose trois ou quatre phrases pour chaque image. Utilise le *passé composé*.   *Answers will vary.*

«Samedi soir passé, j'ai espionné deux suspects...»

voir, marcher, des suspects, la rue, un indice, des sacs de sport, rapidement

entendre, parler, l'argent, le travail, des voleurs, nerveusement

être, arrêter, préparer, la galerie d'art, le lieu du crime, un plan

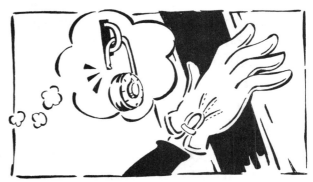

pousser, la porte, le cadenas, faire du bruit, lentement

rencontrer, poser, prendre, un groupe, des questions, la fête, les voleurs, l'argent

voir, finir, réussir, une enquête, la solution, coupable, des costumes

Lisons! Test de lecture

A **Lis cette histoire de vol et aide Louise Laloupe, détective, à découvrir l'objet volé, le lieu du crime, l'heure du crime et le ou la coupable.**

Histoire de vol

Mercredi soir, il y a eu un vol à l'école Vanier. L'objet volé est important. La classe de huitième année a planifié une fête, mais elle ne peut pas avoir la fête sans l'objet disparu. La directrice a demandé l'aide d'une détective. Louise Laloupe est allée à l'école et elle a rencontré la directrice dans son bureau.

Elle a posé des questions à la directrice pour essayer de trouver l'objet volé. «Est-ce que l'objet est petit?» «Non», a répondu la directrice. «À quoi sert l'objet?» «Il sert à la musique», a répondu la directrice. «Est-ce que l'objet est un instrument de musique?» «Non», a répondu la directrice.

«Est-ce qu'on peut écouter notre station préférée?» «Non», a répondu la directrice.

Après, Louise Laloupe a réfléchi au sujet du lieu du crime. Elle a regardé un plan de l'école et la directrice lui a donné quatre indices. Le lieu du crime a la forme d'un rectangle. Les élèves passent près du lieu du crime quand ils vont aux toilettes. Le lieu du crime a une fenêtre. Quand on est devant le lieu du crime, on peut voir les casiers.

Plan du sous-sol de l'école

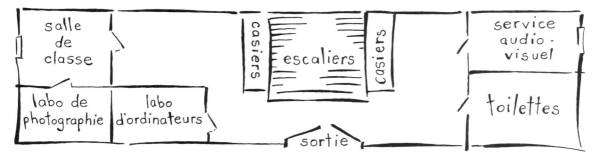

Ensuite, Louise Laloupe a déterminé l'heure du vol. Elle a demandé à la directrice de retracer les événements. «Les cours du soir ont commencé à 19 heures. À 20 h 30, le concierge a écrit dans son rapport : Tout est normal. La cloche a sonné à 20 h 30 et à 20 h 45 parce qu'il y a une pause de 15 minutes. À 20 h 50, le concierge a remarqué que quelqu'un avait brisé le cadenas du lieu du crime.»

Enfin, Louise Laloupe a étudié les suspects pour identifier le ou la coupable. Justin, Mike, Deena et Lata, de l'école secondaire voisine, ont joué au badminton à l'école le soir du vol. Justin est arrivé en auto avec son sac de sport. Il n'a pas quitté le gymnase pendant la pause. Il a parlé avec des amis. Mike a pris l'autobus. Il a apporté son sac de sport comme d'habitude. À 20 h 50, le concierge a vu Mike monter l'escalier. Deena est heureuse parce que son auto est réparée. D'habitude, elle a un seul sac. Mercredi soir, elle transportait deux sacs. Pendant la pause, elle est allée aux toilettes. Lata a utilisé l'auto de sa mère. Elle n'a pas de sac parce qu'elle a déjà mis ses vêtements de sport. À 20 h 50, le concierge a vu Lata monter l'escalier. Louise Laloupe a fini son enquête.

Lisons! Test de lecture (suite)

B **Relis le texte et réponds aux questions suivantes.**

1. Pourquoi est-ce que la classe de huitième année ne peut pas avoir leur fête?

La classe de huitième année ne peut pas avoir leur fête parce qu'un objet
essentiel à la fête a été volé.

2. L'objet volé est…

   a) une cassette.

   (b) un lecteur de disques compacts.

   c) une guitare.

   d) une radio.

3. Quel est le lieu du crime?

   a) les toilettes

   b) les casiers

   c) la station de radio des élèves

   (d) le service audio-visuel

4. À quelle heure est-ce que le ou la coupable a volé l'objet?

   a) à 19 heures

   b) à 20 h 30

   (c) à 20 h 45

   d) à 21 heures

5. Qui a volé l'objet disparu? Quelle est la preuve?

Deena a volé l'objet disparu. Elle a quitté le gymnase pendant la pause
pour aller aux toilettes et elle a aussi transporté deux sacs ce soir-là.

C **Imagine que cette histoire de vol est un livre. Donne un titre au livre et illustre la couverture du livre.**

Écrivons! Test d'écriture

Pense à l'histoire *La chanson volée* ou *Le cas de la planche à roulettes disparue.*
Imagine que tu es le ou la coupable dans cette histoire. Écris un courriel
d'au moins 20 phrases à la victime.   *Answers will vary.*

- Utilise le *passé composé* des verbes réguliers (entendre, voler, penser, chanter, écouter).
- Utilise le *passé composé* des verbes irréguliers (avoir, être, faire, prendre, mettre, voir).
- Utilise des adverbes.
- Utilise le vocabulaire de l'unité.

A Suggestions pour *La chanson volée* :

- Pourquoi est-ce que tu écris ce courriel?
- Retrace les événements.
  - Quand est-ce que tu as entendu la chanson pour la première fois?
  - Où est-ce que tu as entendu la chanson pour la première fois?
  - Quelles ont été les réactions de tout le monde? tes réactions?
  - Est-ce que tu as eu l'intention de voler la chanson tout de suite?
- Explique ton rôle dans le groupe *Les Mouches.*
  - Depuis combien de temps es-tu membre du groupe *Les Mouches*?
  - Qu'est-ce que tu fais dans le groupe?
  - Où est-ce que vous avez joué le mois dernier?
  - Est-ce que tu as été stressé(e) dernièrement? Pourquoi?
- Explique les circonstances du vol.
  - Comment est-ce que tu as eu une copie de la vidéo?
  - Pourquoi est-ce que tu as décidé de voler la chanson?
  - Comment est-ce que tu as mémorisé les paroles?
- Explique la découverte du vol.
  - Pourquoi est-ce que tu as menti quand tu as vu la victime?
  - Qu'est-ce que tu as l'intention de faire maintenant?

B Suggestions pour *Le cas de la planche à roulettes disparue* :

- Pourquoi est-ce que tu écris ce courriel?
- Retrace les événements.
  - Quand est-ce que tu as vu la planche à roulettes pour la première fois?
  - Dans quel concours de planche à roulettes est-ce que tu as vu la victime?
  - Quelles ont été les réactions de tout le monde? tes réactions?
  - Est-ce que tu as eu l'intention de voler la planches à roulettes tout de suite?
- Explique ton rôle dans la classe.
  - Depuis combien de temps es-tu le chouchou de la directrice adjointe?
  - Pourquoi es-tu le chouchou de la directrice adjointe?
  - Est-ce que tu as été jaloux / jalouse de la victime dernièrement? Pourquoi?
- Explique les circonstances du vol.
  - Quand est-ce que tu as eu la combinaison du cadenas de la victime?
  - Pourquoi est-ce que tu as décidé de voler sa planche à roulettes?
  - À quelle heure est-ce que tu as volé sa planche à roulettes?
  - Comment est-ce que tu as volé sa planche à roulettes?
- Explique la découverte du vol.
  - Pourquoi est-ce que tu as menti à la directrice?
  - Qu'est-ce que tu as l'intention de faire maintenant?

Le pronom *on*

Remplace les mots en italique par le pronom *on*. Attention à la forme du verbe!

Exemple : *Les gens* admirent les belles couleurs du paradisier.
On admire les belles couleurs du paradisier.

1. *Nous* trouvons des mantes dans les régions chaudes.

   On trouve des mantes dans les régions chaudes.

2. Le caméléon est fâché parce que *quelqu'un* a grimpé dans l'arbre où il habite.

   Le caméléon est fâché parce qu'on a grimpé dans l'arbre où il habite.

3. *Nous* devons toujours respecter les animaux sauvages.

   On doit toujours respecter les animaux sauvages.

4. D'où vient cet animal que *moi et mes amis* avons vu au zoo?

   D'où vient cet animal qu'on a vu au zoo?

5. C'est vrai que *les gens* ont très peur des araignées, surtout de la veuve noire.

   C'est vrai qu'on a très peur des araignées, surtout de la veuve noire.

6. Est-ce que *nous* pouvons voir l'habitat du panda?

   Est-ce qu'on peut voir l'habitat du panda?

7. Il y a un oiseau dans la maison. *Quelqu'un* a laissé la porte ouverte.

   Il y a un oiseau dans la maison. On a laissé la porte ouverte.

8. *Moi et mon groupe* faisons une étude sur les animaux qui habitent cette région.

   On fait une étude sur les animaux qui habitent cette région.

9. *Nous* ne pouvons pas croire que la tortue géante marche si lentement.

   On ne peut pas croire que la tortue géante marche si lentement.

10. Est-ce que *quelqu'un* sait quelle sorte de nourriture l'anguille aime manger?

    Est-ce qu'on sait quelle sorte de nourriture l'anguille aime manger?

Le futur proche

A **Récris les phrases suivantes. Change le verbe en italique au *futur proche*.**

Exemple : Nous *étudions* le panda dans notre cours de sciences.

Nous allons étudier le panda dans notre cours de sciences.

1. Tu *expliques* comment la mante attrape ses victimes.

Tu vas expliquer comment la mante attrape ses victimes.

2. Vous *comparez* les caractéristiques du caméléon et de la mante.

Vous allez comparer les caractéristiques du caméléon et de la mante.

3. Le caméléon *passe* toute sa vie dans un seul arbre.

Le caméléon va passer toute sa vie dans un seul arbre.

4. Les piranhas *attaquent* leurs victimes en groupe.

Les piranhas vont attaquer leurs victimes en groupe.

5. J'*apprends* des faits intéressants sur cet animal.

Je vais apprendre des faits intéressants sur cet animal.

B **Complète les phrases avec l'expression entre parenthèses. Utilise le *futur proche*.**

Exemple : Si tu étudies les animaux, tu… (beaucoup apprendre).

Si tu étudies les animaux, tu vas beaucoup apprendre.

1. Si on dérange son arbre, le caméléon… (devenir très fâché).

Si on dérange son arbre, le caméléon va devenir très fâché.

2. Si vous cherchez dans les rivières de l'Amérique du Sud, vous… (trouver des piranhas).

Si vous cherchez dans les rivières de l'Amérique du Sud, vous allez trouver des piranhas.

3. Si nous continuons à étudier les animaux, nous… (découvrir des faits intéressants).

Si nous continuons à étudier les animaux, nous allons découvrir des faits intéressants.

4. Si on ne fait pas attention, le panda… (disparaître).

Si on ne fait pas attention, le panda va disparaître.

5. Si je navigue sur Internet, je… (trouver de l'information sur le toucan).

Si je navigue sur Internet, je vais trouver de l'information sur le toucan.

Comment utiliser le dictionnaire

> On utilise le dictionnaire quand on veut vérifier le sens d'un mot. Mais attention! Un mot peut avoir plusieurs sens. Tu dois trouver le sens approprié selon le contexte.

Trouve les mots suivants dans le texte *Le royaume des animaux* aux pages 36–39 de ton livre. Copie une phrase qui contient le mot. Ensuite, lis les deux sens du mot tirés du dictionnaire et souligne le sens approprié.

Exemple : une mante : *On trouve la mante dans les forêts tropicales et tempérées.*

(un vêtement, <u>un animal</u>)

1. des feuilles : *Quand elle a faim, elle se cache dans les feuilles de la forêt.*

   (des morceaux de papier, <u>des parties d'un arbre</u>)

2. puissantes : *Au bon moment, elle attrape sa victime avec ses pattes puissantes.*

   (<u>fortes</u>, très importantes)

3. solitaire : *Il est solitaire.*

   (<u>seul</u>, un diamant)

4. mobiles : *Les yeux du caméléon sont mobiles.*

   (un objet dans la chambre d'un bébé, <u>capables de bouger</u>)

5. une langue : *Quand il a faim, il attrape des insectes avec sa langue!*

   (un langage, <u>une partie de la bouche</u>)

6. un bec : *Il utilise son bec comme épée dans un combat...*

   (<u>la bouche d'un oiseau</u>, un baiser)

7. des baies : *...et pour lancer des baies en l'air.*

   (des étendues d'eau, <u>des petits fruits</u>)

8. une queue : *Elle paralyse ses victimes avec une décharge électrique de sa queue.*

   (une file de personnes, <u>une partie du corps de l'animal</u>)

9. le son : *Il communique avec les autres de son espèce par des sons.*

   (<u>une partie de la langue parlée</u>, une céréale)

10. une branche : *Il attrape de la nourriture, ..., avec des branches.*

    (<u>une partie d'un arbre</u>, une division)

L'orthographe des accents

Remplis les tirets avec *a*, *à* ou *â* selon le cas.

Exemple : L'anguille ___ une queue très puissante.
L'anguille _a_ une queue très puissante.

1. _À_ quelle heure est-ce que la bibliothèque ferme? Je dois emprunter des livres.

2. Combien de pattes la veuve noire ___a_-t-elle?

3. On peut entendre le cri d'un toucan _à_ presque un kilomètre de distance.

4. Un animal f_â_ché peut être dangereux.

5. La r_a_inette est un animal très petit mais très utile dans le traitement de la douleur.

6. La contribution des animaux de la forêt tropicale _à_ la médecine est impressionnante.

7. Quel animal mesure jusqu'_à_ deux mètres de long? C'est l'anguille.

8. Les pandas sont gourmands. Ils mangent de douze _à_ seize heures chaque jour!

9. On trouve souvent des araignées dans les vieux ch_â_teaux.

10. Ma grand-mère dit toujours que je suis agile comme un ch_a_t.

11. Je pense que le piranha _a_ plus de dents que l'anguille.

12. Sais-tu que la mante femelle mange le m_â_le de son espèce?

13. Les piranh_a_s ont des dents très aiguisées.

14. Une des t_â_ches pour notre projet est de créer une carte d'information sur un animal.

15. Les reptiles h_a_bitent dans l'eau et sur la terre.

16. J'ai appris _à_ apprécier ces animaux.

17. Le chimpanzé _a_ beaucoup de qualités humaines.

18. Le caméléon appartient _à_ la famille des lézards.

19. Moi, je trouve tous ces animaux biz_a_rres mais fascinants!

20. Le panda est un m_a_mmifère menacé d'extinction.

Le comparatif des adjectifs

Utilise l'adjectif entre parenthèses pour comparer les deux animaux dans chaque phrase. Attention à l'accord de l'adjectif!

Exemple : la rainette / le requin (dangereux)

La rainette est moins dangereuse que le requin.

1. le panda / le scorpion (gros)

   Le panda est plus gros que le scorpion.

2. la vipère / l'anguille (long)

   La vipère est plus longue que l'anguille.

3. le chimpanzé / la chauve-souris (intelligent)

   Le chimpanzé est plus intelligent que la chauve-souris.

4. le piranha / la sangsue (petit)

   Le piranha est moins petit que la sangsue.

5. la tortue géante / la vipère (rapide)

   La tortue géante est moins rapide que la vipère.

6. le chimpanzé / le panda (mignon)

   Le chimpanzé est aussi mignon que le panda.

7. le toucan / le paradisier (bruyant)

   Le toucan est plus bruyant que le paradisier.

8. la sangsue / la rainette (coloré)

   La sangsue est moins colorée que la rainette.

9. le piranha / le requin (féroce)

   Le piranha est aussi féroce que le requin.

10. l'abeille / le scorpion (effrayant)

    L'abeille est moins effrayante que le scorpion.

Les adjectifs qualificatifs irréguliers

Tu sais déjà comment mettre **un adjectif régulier** au féminin et au pluriel :

vert	verts	verte	vertes

Il y a aussi des **adjectifs irréguliers**. Voici les formes de quelques adjectifs irréguliers :

actif	active	actifs	actives
beau / bel*	belle	beaux	belles
dangereux	dangereuse	dangereux	dangereuses
gros	grosse	gros	grosses
léger	légère	légers	légères
long	longue	longs	longues
mignon	mignonne	mignons	mignonnes
naturel	naturelle	naturels	naturelles
nouveau / nouvel*	nouvelle	nouveaux	nouvelles

*devant un nom masculin qui commence avec une voyelle ou un *h* muet

Écris la bonne forme de l'adjectif entre parenthèses. Attention à l'accord!

Exemple : Les touristes ont vu de très ___beaux___ (beau) animaux dans la forêt tropicale.

1. La vipère est ___dangereuse___ (dangereux).

2. J'aime les sciences ___naturelles___ (naturel) et l'étude des animaux.

3. La rainette est très ___mignonne___ (mignon).

4. Le bec du toucan est ___grand___ (grand) et ___léger___ (léger).

5. Les abeilles sont ___actives___ (actif); elles cherchent constamment du pollen.

6. Le venin ___mortel___ (mortel) de la vipère peut aider dans ce traitement.

7. Le ___beau___ (beau) plumage du paradisier est admiré par tout le monde.

8. La tortue géante est plus ___grosse___ (gros) que les tortues américaines.

9. L'homme est le ___nouvel___ (nouveau) ennemi des animaux.

10. L'anguille est ___longue___ (long) mais très agile.

Le superlatif des adjectifs

Réponds à la question en choisissant un des animaux suivants. Utilise un *superlatif* dans chaque réponse. Attention à l'accord de l'adjectif!

Exemple : Quel est l'animal le plus terrifiant?

La veuve noire est la plus terrifiante.

l'abeille	les anguilles	le caméléon	les chimpanzés
la mante	le panda	la rainette	les requins
la sangsue	la vipère		

Quel animal est...

1. le plus mignon?

   La rainette est la plus mignonne.

2. le plus gluant?

   La sangsue est la plus gluante.

3. le plus prudent?

   L'abeille est la plus prudente.

4. le plus méchant?

   La vipère est la plus méchante.

5. le plus intelligent?

   Les chimpanzés sont les plus intelligents.

6. le plus rapide?

   Les anguilles sont les plus rapides.

7. le plus patient?

   La mante est la plus patiente.

8. le plus long?

   Les requins sont les plus longs.

9. le plus gros?

   Le panda est le plus gros.

10. le plus coloré?

    Le caméléon est le plus coloré.

Les adjectifs démonstratifs

L'adjectif démonstratif — *ce, cet*, cette* et *ces* — désigne un nom spécifique.

ce reptile   cet animal   cette anguille   ces oiseaux

*devant un nom masculin qui commence avec une voyelle ou un *h* muet

Complète les phrases avec le bon adjectif démonstratif : *ce, cet, cette* **ou** *ces.*

Exemple : _Cet_ animal est très important dans la recherche médicale sur le cancer.

1. _Ce_ mammifère a des marques noires sur les oreilles, les pattes et autour des yeux.

2. Nous allons étudier _ces_ insectes.

3. L'oiseau dans _cette_ image est moins coloré que le paradisier.

4. On trouve des animaux extraordinaires dans _cette_ forêt tropicale.

5. Le caméléon habite dans _cet_ arbre au centre de la forêt.

6. _Ce_ reptile a des disques adhésifs sur ses pattes.

7. _Cette_ espèce est en danger d'extinction.

8. _Cet_ ennemi menace la mante plus que les autres.

9. _Ce_ venin peut servir à combattre certaines maladies.

10. _Ces_ serpents peuvent se déplacer rapidement grâce à leur longueur.

11. Il y a des caméléons dans _cette_ région du monde.

12. _Ce_ poisson vit dans les rivières de l'Amazonie.

13. _Cette_ substance toxique est utile pour traiter l'arthrite.

14. _Ces_ animaux habitent l'Amérique centrale.

15. Les peuples de la forêt amazonienne connaissent _ce_ traitement.

Écoutons! Test de compréhension orale

A **Écoute les descriptions. Pourquoi est-ce que ce jeune préfère cet animal? Encercle la bonne réponse.**

Exemple : L'abeille est **a)** vive. **(b)** active. **c)** dangereuse.

1. Le caméléon est…

    a) solitaire.

    (b) coloré.

    c) mignon.

2. Le requin est…

    a) puissant.

    b) utile pour la médecine.

    (c) dangereux.

3. Le chimpanzé est…

    a) patient.

    (b) intelligent.

    c) bruyant.

4. La rainette est…

    (a) spécialiste en camouflage.

    b) solitaire.

    c) grande.

5. La chauve-souris est…

    a) dangereuse.

    b) dégoûtante.

    (c) terrifante.

B **Écoute les descriptions d'animaux. Quel aspect de la vie de l'animal est décrit? Coche la bonne case.**

	Aspect physique	Habitat	Nourriture
Exemple : le toucan	☐	☐	✔
1. l'abeille	✔	☐	☐
2. la chauve-souris	☐	✔	☐
3. la rainette	✔	☐	☐
4. la mante	☐	☐	✔
5. le chimpanzé	☐	☐	✔
6. le caméléon	☐	✔	☐
7. l'anguille	✔	☐	☐
8. le toucan	✔	☐	☐
9. le requin	☐	✔	☐
10. la vipère	☐	☐	✔

Parlons! Test de communication / production orale

Lis les questions suivantes. Prépare des réponses de deux ou trois phrases. Après, ton ou ta partenaire va te poser 10 questions : quatre questions du Groupe A, trois questions du Groupe B et trois questions du Groupe C.

Answers will vary.

Groupe A

1. Quel animal est très long? Explique.

2. Quel animal est très gros? Explique.

3. Quel animal est bien adapté à l'environnement? Explique.

4. Quel animal utilise des outils? Explique.

5. Quel mammifère ressemble à l'homme? Explique.

6. Quel animal utilise le bruit comme protection? Explique.

7. Quel animal utilise la couleur comme camouflage? Explique.

8. Quel animal contribue au bien-être des humains? Comment?

9. Quel animal contribue à l'équilibre écologique? Comment?

10. Quel animal contribue à la recherche médicale? Comment?

Groupe B

1. Selon toi, à quel animal ressembles-tu? Pourquoi?

2. Selon toi, quel animal est aussi mignon que le panda? Explique.

3. Selon toi, quel animal est moins sociable que l'abeille? Explique.

4. Selon toi, quel animal est plus dégoûtant que la chauve-souris? Explique.

5. Selon toi, quel animal est aussi dangereux que le piranha? Explique.

Groupe C

1. À ton avis, quel animal est le plus fascinant? Pourquoi?

2. À ton avis, quel animal est le moins intéressant? Pourquoi?

3. Selon toi, pourquoi est-ce qu'on doit protéger les animaux menacés d'extinction?

4. Selon toi, pourquoi est-ce qu'on a peur de certains animaux?

5. Selon toi, pourquoi est-ce qu'on doit protéger les forêts tropicales?

Lisons! Test de lecture

A **Lis les descriptions des trois animaux suivants.**

Trois animaux bizarres et fascinants

Le dragon de Komodo

Le dragon de Komodo est le plus grand lézard du monde. Il peut mesurer trois mètres de long et peser 165 kilos. Le corps du dragon est moins long que sa queue! Ses pattes sont courtes mais il peut courir très vite. De grandes dents pointues et des griffes aident le dragon à attraper et à manger sa victime. Il attaque des animaux qui sont beaucoup plus gros que lui. Il mange des oiseaux, des poissons, des serpents, des bisons et des chevaux! Il habite dans les îles de l'Indonésie. Une des îles s'appelle l'île de Komodo. Le dragon de Komodo est une espèce menacée d'extinction. Il y a seulement 350 femelles fécondes dans une population d'environ 5 000 dragons. Ces dragons sont chassés pour leur peau. On a créé un parc national pour protéger ces animaux des chasseurs.

Le chasseur masqué

Le chasseur masqué est un insecte prédateur qui habite dans les forêts tropicales. Il y a des espèces dans toutes les régions du monde, qui vivent dans les trous d'arbres et dans les vieilles maisons. Le chasseur masqué peut mesurer 2 cm de long et est de couleur brun chocolat. On l'appelle le chasseur masqué parce qu'il se déguise quand il chasse. Il attrape sa victime, un insecte, injecte sa salive pour la paralyser et suce le contenu de l'insecte. Il aide à contrôler les populations d'insectes dans la forêt tropicale. On n'aime pas rencontrer le chasseur masqué dans son lit! Sa piqûre est très douloureuse et peut transmettre des maladies à l'humain. Ses ennemis sont les oiseaux, les serpents, les reptiles et les humains.

Le *aye-aye*

Le *aye-aye* est un petit animal. Il est aussi gros qu'un chat domestique. Il a de longs doigts et des griffes, une longue queue, de grandes oreilles et de grands yeux. Le *aye-aye* est très agile. Ce mammifère habite dans les forêts tropicales de bambou au Madagascar. Il vit dans un arbre. Il dort toute la journée et il cherche de la nourriture la nuit. Il mange des insectes, des fruits et du bambou. Avec son doigt le plus long, il peut extraire des larves d'insectes des trous des arbres. C'est une des espèces les plus menacées de la planète. La déforestation est la cause principale de sa disparition, mais la superstition est aussi responsable. On considère le *aye-aye* comme un messager de malchance. Il y a maintenant un projet au Madagascar pour protéger le *aye-aye*.

Nom : _____   Date : _____

Lisons! Test de lecture (suite)

B   Dans le texte, trouve une phrase qui décrit...

1. l'aspect physique du dragon de Komodo.

  Le dragon de Komodo peut mesurer trois mètres de long et peser 165 kilos.

2. l'habitat du *aye-aye*.

  Le aye-aye habite dans les forêts tropicales de bambou au Madagascar.

3. la nourriture du chasseur masqué.

  Le chasseur masqué attrape sa victime, un insecte, injecte sa salive pour la paralyser et suce le contenu de l'insecte.

4. une caractéristique unique du *aye-aye*.

  On considère le aye-aye comme un messager de malchance.

5. une caractéristique unique du dragon de Komodo.

  Le dragon de Komodo est le plus grand lézard du monde.

C   Relis le texte et réponds aux questions suivantes.

1. Des trois animaux dans le texte, quel animal est le plus petit? Donne la preuve.

  Le chasseur masqué est le plus petit des trois. Il mesure 2 cm de long. Le dragon de Komodo mesure trois mètres de long et le aye-aye est aussi gros qu'un chat.

2. Pourquoi est-ce qu'on chasse le *aye-aye*?

  On chasse le aye-aye parce qu'il est considéré comme un messager de malchance.

3. Comment est-ce que le chasseur masqué paralyse ses victimes?

  Le chasseur masqué injecte sa salive dans ses victimes pour les paralyser.

4. Pourquoi est-ce que ce lézard s'appelle le dragon de Komodo?

  Il s'appelle le dragon de Komodo parce qu'il habite dans une des îles de l'Indonésie, l'île de Komodo.

5. Selon toi, quel animal est le plus intéressant? Pourquoi?

  Answers will vary.

Écrivons! Test d'écriture

Chaque semaine, le site Web _Bêtes pas bêtes+_ publie une description d'un animal différent. Écris un courriel à ce site Web et demande aux directeurs de présenter ton animal préféré. Choisis l'animal ci-dessous ou l'animal de ton choix. Écris au moins 20 phrases. Dans ta lettre, tu dois :

- te présenter. (ton nom, ton âge, ton école, ton année);

- dire que tu es un grand fan du site Web. (Depuis combien de temps est-ce que tu regardes ce site Web? Pourquoi est-ce que tu aimes ce site Web? Quel section du site Web est-ce que tu considères comme la section la plus intéressante?);

- expliquer ton objectif. (Pourquoi est-ce que tu écris aux directeurs?);

- expliquer pourquoi ton animal est un bon choix pour le site. (Pourquoi est-ce que les lecteurs vont être intéressés à cet animal?);

- décrire ton animal. (son aspect physique, son habitat, sa nourriture, ses ennemis et ses caractéristiques uniques);

- conclure ta lettre. (Est-ce que tu vas encourager tes ami(e)s à consulter ce site Web?);

- utiliser le pronom _on_ au moins une fois;

- écrire au moins une phrase _comparative_ et une phrase _superlative_.

Answers will vary.

Le nom de l'animal :	l'échidné
Son aspect physique :	C'est un mammifère;
	Il ressemble à un porc-épic;
	Il a un dos large, couvert de piquants, en forme de dôme;
	Il a une longue langue gluante d'environ 18 cm;
	Il n'a pas de dents;
	Il a une petite tête;
	Il a un nez en forme de trompe (comme un éléphant).
Son habitat :	Il habite en Indonésie et en Nouvelle-Guinée.
Sa nourriture :	Il mange des fourmis, des termites et d'autres petits insectes;
	Il attrape des insectes avec sa langue gluante;
	Il peut manger 200 g de fourmis en 10 minutes.
Ses ennemis :	l'homme
Ses caractéristiques uniques :	La femelle pond un oeuf;
	La femelle place le petit dans une poche dans son abdomen jusqu'à l'âge de 55 jours;
	Il peut être un animal domestique;
	Il peut vivre longtemps, jusqu'à l'âge de 31 ans.

Le passé composé avec *avoir* (révision)

A **Écris le verbe entre parenthèses au *passé composé*.**

Exemple : J'___ _____ mon ami chez le dentiste. (attendre)

J'*ai* ___*attendu*___ mon ami chez le dentiste.

1. Nathan ___*a*___ _____*choisi*_____ une carrière intéressante. (choisir)

2. Olivia et Nicole ___*ont*___ _____*posé*_____ des questions au centre des carrières. (poser)

3. Quelles études _____*as*-tu _*faites*_ pour devenir comptable? (faire)

4. Le chocolatier ___*a*___ _____*vendu*_____ des truffes de sa propre création. (vendre)

5. Vous n'*avez* pas _____*pris*_____ le cours d'arts visuels. (prendre)

B **Écris les phrases suivantes à la *forme négative*.**

Exemple : Tu as fini tes devoirs?

Tu n'as pas fini tes devoirs?

1. Elle a attendu son cousin devant l'école.

Elle n'a pas attendu son cousin devant l'école.

2. Tu as rempli le formulaire pour un emploi d'été.

Tu n'as pas rempli le formulaire pour un emploi d'été.

3. Les élèves ont parlé au professeur.

Les élèves n'ont pas parlé au professeur.

4. J'ai été surpris de voir mon ami hier.

Je n'ai pas été surpris de voir mon ami hier.

5. Les élèves ont eu la chance de visiter le centre des carrières.

Les élèves n'ont pas eu la chance de visiter le centre des carrières.

C **Écris les phrases suivantes au *passé composé*.**

Exemple : Elle voyage à Paris.

Elle a voyagé à Paris.

1. Nous préparons des cartes d'information sur les carrières.

Nous avons préparé des cartes d'information sur les carrières.

2. On choisit des carrières intéressantes.

On a choisi des carrières intéressantes.

3. L'invité répond aux questions des élèves.

L'invité a répondu aux questions des élèves.

4. Ils suivent des cours de langues.

Ils ont suivi des cours de langues.

5. Céline a de bons résultats dans son cours de mathématiques.

Céline a eu de bons résultats dans son cours de mathématiques.

Le futur proche (révision)

A **Remplis les tirets avec la bonne forme du verbe *aller*.**

> **Exemple :** Je _____ prendre un avion pour la première fois.
>
> Je _*vais*_ prendre un avion pour la première fois.

1. Elle ___*va*___ parler des carrières uniques.

2. Nous n'___*allons*___ pas acheter cette vidéo.

3. Je ___*vais*___ sortir avec mes amis.

4. Est-ce que vous ___*allez*___ aller au centre commercial?

5. Avec qui est-ce que tu ___*vas*___ faire tes devoirs?

6. Ma famille ___*va*___ voir le film à la télévision.

7. Les mécaniciens ___*vont*___ réparer les autos.

8. Quand est-ce que nous ___*allons*___ manger au restaurant?

9. Vous ___*allez*___ voir une belle statue à ma droite.

10. Je ___*vais*___ être artiste.

B **Choisis un mot de chaque catégorie pour former des phrases complètes.**

Je	allez	sortir	au parc.
Nous	vont	marcher	sur Internet.
Vous	vais	penser	en français.
Ils	allons	répondre	à un projet.
Marco et Habib	vont	naviguer	du musée.

Answers will vary.

1. _*Je vais marcher au parc.*_

2. _*Nous allons sortir du musée.*_

3. _*Vous allez penser à un projet.*_

4. _*Ils vont répondre en français.*_

5. _*Marco et Habib vont naviguer sur Internet.*_

C **Mets les phrases de la Partie B au *négatif*.** *Answers will vary.*

1. _*Je ne vais pas marcher au parc.*_

2. _*Nous n'allons pas sortir du musée.*_

3. _*Vous n'allez pas penser à un projet.*_

4. _*Ils ne vont pas répondre en français.*_

5. _*Marco et Habib ne vont pas naviguer sur Internet.*_

Le pronom *on* (révision)

Récris les phrases suivantes et utilise le pronom *on*.

Exemple : Quand est-ce que nous partons en ville?   *Quand est-ce qu'on part en ville?*

1. Nous faisons un reportage dans la classe de sciences.

   On fait un reportage dans la classe de sciences.

2. Nous pouvons ajouter du sucre à la limonade.

   On peut ajouter du sucre à la limonade.

3. Ils gagnent beaucoup de matchs cette saison.

   On gagne beaucoup de matchs cette saison.

4. Tout le monde a écouté les nouvelles à la radio.

   On a écouté les nouvelles à la radio.

5. Où est-ce que nous allons voyager cet été, Maman?

   Où est-ce qu'on va voyager cet été, Maman?

6. Qui est-ce qu'ils ont vu au cinéma hier soir?

   Qui est-ce qu'on a vu au cinéma hier soir?

7. Malheureusement, ils sont trop occupés ce soir.

   Malheureusement, on est trop occupé ce soir.

8. Nous avons rarement des tests dans la classe d'éducation physique.

   On a rarement des tests dans la classe d'éducation physique.

9. Qu'est-ce qu'ils en pensent?

   Qu'est-ce qu'on en pense?

10. Pourquoi est-ce que nous n'avons pas parlé avec cet auteur?

    Pourquoi est-ce qu'on n'a pas parlé avec cet auteur?

11. Ils ne vendent pas ces livres à cette librairie.

    On ne vend pas ces livres à cette librairie.

12. Nous avons annoncé les détails du concours la semaine passée.

    On a annoncé les détails du concours la semaine passée.

13. Nous avons travaillé tellement fort aujourd'hui, n'est-ce pas?

    On a travaillé tellement fort aujourd'hui, n'est-ce pas?

14. En vacances, ils mangent de la cuisine africaine.

    En vacances, on mange de la cuisine africaine.

15. Avec qui est-ce que nous allons aller au parc d'attractions?

    Avec qui est-ce qu'on va aller au parc d'attractions?

L'inversion (révision)

A **Change les questions en employant l'*inversion*.**

Exemple : Est-ce que tu parles d'autres langues?
Parles-tu d'autres langues?

1. Est-ce qu'il attend son père au métro?
Attend-il son père au métro?

2. Est-ce que tu téléphones chez moi?
Téléphones-tu chez moi?

3. Est-ce que nous allons au bureau?
Allons-nous au bureau?

4. Est-ce que vous allez manger avec nous?
Allez-vous manger avec nous?

5. Est-ce qu'elle fait de la natation?
Fait-elle de la natation?

6. Est-ce qu'il écoute le bruit?
Écoute-t-il le bruit?

7. Est-ce qu'elles sont canadiennes?
Sont-elles canadiennes?

8. Est-ce que nous travaillons fort?
Travaillons-nous fort?

9. Est-ce que vous regardez le nouveau tournage du film?
Regardez-vous le nouveau tournage du film?

10. Est-ce que tu changes d'idée?
Changes-tu d'idée?

L'inversion (révision)

B **Remplis les tirets avec le bon pronom.**

Exemple : Pierre, veut-_____ du sirop d'érable?

Pierre, veut-_il___ du sirop d'érable?

1. Pensez-_vous__ à tous les détails?

2. As-_tu___ la réponse?

3. Marie et Martin, étudient-_ils____ à la bibliothèque?

4. Les Gauthier, préfèrent-_ils____ voyager en Europe?

5. Lisette, compte-t-_elle_ par deux?

C **Mets les phrases au _négatif_.**

Exemple : Participes-tu aux sports?

Ne participes-tu pas aux sports?

1. Voulez-vous être pilote?

Ne voulez-vous pas être pilote?

2. Jean, appelle-t-il au restaurant?

Jean, n'appelle-t-il pas au restaurant?

3. Pauline et Julia, vont-elles au Maroc?

Pauline et Julia, ne vont-elles pas au Maroc?

4. Finis-tu ton projet d'histoire?

Ne finis-tu pas ton projet d'histoire?

5. Es-tu fatigué?

N'es-tu pas fatigué?

Les adverbes qui se terminent en *–ment* (révision)

A Complète le tableau suivant.

	l'adjectif masculin	l'adjectif féminin	la terminaison de l'adverbe	l'adverbe
	doux	douce	ment	doucement
1.	lent	lente	ment	lentement
2.	certain	certaine	ment	certainement
3.	heureux	heureuse	ment	heureusement
4.	extrême	extrême	ment	extrêmement
5.	exact	exacte	ment	exactement
6.	régulier	régulière	ment	régulièrement
7.	féroce	féroce	ment	férocement
8.	personnel	personnelle	ment	personnellement
9.	complet	complète	ment	complètement
10.	silencieux	silencieuse	ment	silencieusement

B Trouve le bon adverbe pour chaque phrase. Utilise les mots utiles.

Exemple : Le lion rugit _____.   Le lion rugit _férocement_ .

1. Quand on est fatigué, on marche ___lentement___ .
2. Le soldat est ___extrêmement___ courageux.
3. ___Personnellement___, j'ai préféré l'autre film.
4. Regarde ce chien! Il est ___complètement___ blanc!
5. Le ballon flotte ___silencieusement___ dans l'air.
6. Le cours de sciences se termine ___exactement___ à 15 h 30.
7. Les autos passent ___rapidement___ sur l'autoroute.
8. ___Heureusement___, ils ont trouvé l'argent nécessaire.
9. Je garde ___régulièrement___ les enfants de M. et Mme Talbot.
10. Ce sont ___certainement___ mes chaussures préférées.

Mots utiles

| certainement | exactement | heureusement | personnellement | régulièrement |
| complètement | extrêmement | lentement | rapidement | silencieusement |

La place des adjectifs qualificatifs

> **En géneral, la plupart des adjectifs sont placés après le nom.**
>
> **Exemple:** C'est une carrière extraordinaire.
>
> **Mais les adjectifs qualificatifs suivants sont normalement placés avant le nom :**
>
> | | | | | |
> |---|---|---|---|---|
> | beau | bon | dernier | excellent | grand |
> | gros | haut | jeune | long | mauvais |
> | méchant | meilleur | nouveau | petit | vieux |

Compose des phrases complètes. Encecle l'adjectif dans la phrase.

Exemple: en technologie. / collège / Ce nouveaux / de / cours / offre

  Ce collège offre de nouveaux cours en technologie.

1.   est / fascinant. / La / domaine / un / biologie

  La biologie est un domaine fascinant.

2.   doit / Robert / de / heures. / travailler / longues

  Robert doit travailler de longues heures.

3.   idée./ carrières / journée / une / est / La / des / bonne

  La journée des carrières est une bonne idée.

4.   a / créatif. / Mon / travail / oncle / un

  Mon oncle a un travail créatif.

5.   en arts visuels / une / excellente / est / carrière / Une / idée.

  Une carrière en arts visuels est une excellente idée.

6.   truffes / morceaux de carottes. / ont / Ces / petits / de

  Ces truffes ont de petits morceaux de carottes.

7.   grande / une agente de bord / compagnie. / Je / devenir / une / pour / veux

  Je veux devenir une agente de bord pour une grande compagnie.

8.   faire / médicale. / Martine / veut / recherche / de la

  Martine veut faire de la recherche médicale.

9.   chocolats / des / fait / Le / délicieux. / chocolatier

  Le chocolatier fait des chocolats délicieux.

10.   rester / voyager / de / hôtels. / J'adore / et / beaux / dans

  J'adore voyager et rester dans de beaux hôtels.

Les mots de la même famille

Complète chaque phrase avec un mot de la même famille que le mot entre parenthèses. Attention à l'accord!

Exemple : (complet) Ces truffes sont _completement_ dégoûtantes.

Trouve des noms...

1. (travailler)   Martine veut trouver un _travail_ dans le domaine des sciences.

2. (professionnel)   Moi, je ne sais pas quelle _profession_ m'intéresse.

3. (spécial)   Les truffes sont la _spécialité_ de cette compagnie de confiserie.

4. (un chercheur)   Un jour, Martin veut faire de la _recherche_ médicale.

5. (l'Allemagne et l'Espagne)   Je vais étudier l'_allemand_ et l'_espagnol_.

6. (l'information)   Moi, je vais suivre des cours d'_informatique_.

Trouve des verbes...

7. (un tournage)   La semaine passée, Robert _a tourné_ une annonce publicitaire pour les autos japonaises.

8. (une garderie)   Je _garde_ les enfants de mon cousin tous les jours après l'école.

9. (la cuisine)   Tu aimes beaucoup manger mais tu n'aimes pas _cuisiner_.

Trouve des adjectifs...

10. (les sciences)   Martine est intéressée à une carrière _scientifique_.

11. (l'imagination)   Suzanne veut travailler dans le multimédia parce qu'elle est très _imaginative_.

12. (un aéroport)   Un jour, Tanya veut travailler pour une compagnie _aérienne_.

Trouve des adverbes...

13. (vrai)   Mon cousin a une carrière qui est _vraiment_ créative.

14. (certain)   Nous allons _certainement_ continuer à étudier les langues.

15. (seul)   Martine n'est pas _seulement_ intéressée aux sciences; elle est aussi intéressée aux mathématiques.

Les mots français et anglais

Vérifie le sens des *faux amis* dans la Section A. Ces mots ressemblent à des mots anglais mais le sens est différent. Ensuite, utilise les mots des Sections A et B pour compléter le dialogue.

Section A	
assister	formation
Attends	garder
domaine	orientation
emploi	

Section B	
agente	laboratoire
compagnie	problème
créatif	profession
exactement	qualités

– _____ Attends-moi, Samantha!

– Salut, Chris. Ça va?

– Oui! Qu'est-ce que tu fais demain?

– Pas grand-chose. Je vais __garder__ des enfants demain soir mais je suis libre pendant la journée.

– Alors, veux-tu __assister__ à la journée des carrières avec moi?

– Je ne sais pas. Qu'est-ce qu'on fait __exactement__ à une journée des carrières?

– Eh bien, on peut trouver de l'information sur différentes carrières et professions. Moi, par exemple, je veux travailler dans le __domaine__ de la télévision. Alors, je peux poser des questions sur la __formation__ nécessaire pour ces types d'emplois.

– C'est une bonne idée. La télévision est fascinante et tu es assez __créatif__ pour ce travail.

– Toi, Sam, est-ce qu'il y a une carrière ou une __profession__ qui t'intéresse?

– C'est ça mon __problème__, Chris. Il y a beaucoup *trop* de carrières qui m'intéressent.

– Dans notre classe d'__orientation__, on a identifié nos intérêts et nos __qualités__ avant de choisir des carrières.

– Eh bien, j'aime voyager et je suis sociable...

– Alors, tu peux être pilote ou __agente__ de bord pour une grande __compagnie__ aérienne.

– Mais, j'aime aussi les sciences...

– Alors, tu peux trouver un __emploi__ dans un __laboratoire__. Viens avec moi, Sam. La journée des carrières va t'aider à décider parmi tes choix multiples!

L'orthographe des accents

Complète les mots suivants. Ajoute un *e, é, è, ê, ç, ô*, et devine les carrières.

1. Robert est toujours tr**è**s occup**é**. Il participe à des tournages pour le cin**é**ma et la t**é**lévision. Il est ___*opérateur*___ de prise de vues.

2. Martine fait de la r**e**cherche m**é**dicale dans un laboratoire. À l'**é**cole s**e**condaire, elle a suivi des cours de sciences et de math**é**matiques. Elle est *une scientifique*.

3. Nicolas travaille pour une compagnie de confiserie. Pour ce travail, il doit **ê**tre tr**è**s inventif. Les truffes sont la spécialit**é** de sa compagnie. Il est ___*chocolatier*___.

4. Raeanne travaille pour une grande compagnie a**é**rienne au Canada. Elle aime voyager dans diff**é**rents pays et rester dans de beaux h**ô**tels. Elle est ___*agente de bord*___.

5. Jean-François utilise l'ordinateur pour cr**é**er de nouveaux logiciels. Il doit **ê**tre tr**è**s attentif aux d**é**tails. Il est ___*ingénieur*___ en informatique.

6. Nicole est pigiste pour plusieurs journaux et magazines. Elle **é**crit des r**e**portages sur des sujets d'actualit**é**s. Elle est ___*journaliste*___.

7. Darren utilise l'ordinateur pour pr**é**parer des sites Web pour ses clients. Il doit **ê**tre tr**è**s cr**é**atif pour travailler dans le multim**é**dia. Il est ___*Webmestre*___.

8. Lata adore d**é**corer l'int**é**rieur des maisons. Elle a suivi des cours d'arts visuels à l'**é**cole secondaire et de d**é**coration au coll**è**ge. Elle est ___*décoratrice*___.

9. Duncan est tr**è**s int**é**ressé aux animaux. Il a fait des **é**tudes en biologie à l'universit**é**. Il partage une clinique avec un coll**è**gue. Il est ___*vétérinaire*___.

10. Danielle parle au tél**é**phone et donne des conseils à ses clients au sujet de leurs investissements financiers. Elle est ___*analyste*___ financi**è**re.

11. Patrick aime les autos et il aime travailler avec les engins. Il a suivi des cours de m**é**canique au coll**è**ge. Patrick est ___*mécanicien*___.

12. Megan travaille dans un h**ô**pital et elle aide les m**é**decins. Elle est intéressé**e** à la sant**é** de ses patients. Elle est ___*infirmière*___.

13. Philippe fait de la traduction de l'anglais au fran**ç**ais pour des entreprises dans le domain**e** de la nourriture. Il parle aussi l'espagnol. Il est ___*traducteur*___.

14. Laura est responsabl**e** de l'administration d'une entreprise de comptabilité. Elle doit être tr**è**s organisé**e** et logique. Elle est ___*administratrice*___.

15. Trevor **é**tudie les oc**é**ans et les organismes marins. Il **é**crit des articles sur les cons**é**quences de la pollution et de la pêche sur la vie marine. Il est *océanographe*.

Écoutons! Test de compréhension orale

A **Écoute bien. Écris le numéro de la description qui correspond à chaque profession.**

_3_ une agente de bord   _8_ une fleuriste

_6_ une architecte   _4_ un journaliste

_9_ un artiste   _10_ un mécanicien

_7_ un cameraman   _1_ une scientifique

_2_ un chocolatier   _5_ une vétérinaire

B **Écoute chaque élève parler de la carrière de ses rêves. Ensuite, réponds à la question choix multiples.**

1. Renée est…

   a) ambitieuse.

   b) curieuse.

   c) sérieuse.

2. Kristen aime…

   a) découvrir comment les choses fonctionnent.

   b) travailler avec les gens.

   c) trouver des solutions aux problèmes.

3. Chris veut aller…

   a) au collège.

   b) à l'université.

   c) à une école internationale.

4. Tan est intéressé…

   a) à la musique.

   b) à l'art dramatique.

   c) aux ordinateurs.

5. Alana veut vendre…

   a) des produits.

   b) des téléviseurs.

   c) des annonces publicitaires.

Parlons! Test de communication / production orale

Imagine que tu es un / une adulte et que tu as une carrière. Réponds à ces questions à l'oral.   *Answers will vary.*

1. Comment t'appelles-tu?

2. Quelle est ta carrière?

3. Quels sont tes intérêts? (Choisis un intérêt qui est important pour ta carrière.)

4. Quelles qualités personnelles sont importantes pour ta carrière? (Choisis trois qualités personnelles et explique pourquoi chaque qualité est importante pour ta carrière.)

5. Quels cours as-tu pris à l'école secondaire? (Choisis cinq cours et explique l'importance de chaque cours pour ta carrière).

6. Après l'école secondaire, où as-tu étudié?

Exemple : Je m'appelle Patrick et je suis musicien. J'aime beaucoup les différents types de musique. Je suis très créatif. J'aime écrire ma propre musique. J'ai suivi des cours de musique. Avec ces cours, je peux lire les notes de musique. Après l'école secondaire, j'ai étudié à l'université.

Matières scolaires	Des intérêts	Des qualités personnelles
des cours d'anglais et de français	les animaux	amical / amicale
des cours d'art dramatique	la cuisine	analytique
des cours d'arts visuels	l'environnement	artistique
des cours de cuisine	les finances	créatif / créative
des cours de composition	les ordinateurs	curieux / curieuse
des cours de géographie	la politique	logique
des cours d'informatique	la radio	organisé / organisée
des cours de mathématiques	la santé	patient / patiente
des cours de sciences	la technologie	sérieux / sérieuse
et aussi…	les voyages	sportif / sportive
	et aussi…	et aussi…

Lisons! Test de lecture

Lis le texte suivant.

Imaginez le 21ᵉ siècle au collège Lauzon!

Êtes-vous une personne créative, pleine d'idées originales? Voulez-vous travailler dans le domaine de l'informatique?

Venez au collège Lauzon et recevez une formation en multimédia! Le multimédia, c'est du texte, des sons et des images communiqués par voie électronique. Les possibilités de carrières sont impressionnantes!

Mon nom est Katia Sadier et je suis vidéographe. Qu'est-ce que c'est qu'une vidéographe? C'est une personne qui travaille en équipe pour créer un produit multimédia — par exemple, un cédérom, un site Web ou une publication électronique. La vidéographe choisit les séquences vidéo pour créer un scénario ou un produit final.

Par exemple, dernièrement, j'ai créé avec d'autres personnes une visite guidée virtuelle du Musée des beaux-arts sur cédérom. C'est fascinant de travailler avec des images de beaux tableaux, de belles sculptures et d'artistes célèbres.

Comment est-ce que j'ai choisi cette carrière? J'ai toujours aimé les ordinateurs, les jeux vidéo et les films. On me dit que je suis toujours dans la lune, mais c'est parce que je suis très imaginative!

Mon amour pour la vidéo a commencé à l'âge de douze ans. J'ai trouvé une vieille caméra vidéo dans une vente de garage. J'ai tourné un film d'action de cinq minutes à la James Bond avec mes amis. Ça nous a pris deux jours!

À l'école secondaire, j'ai suivi des cours d'arts visuels et d'informatique. Ce sont des matières essentielles pour mon métier. J'ai aussi étudié le français et l'espagnol; maintenant je peux travailler partout dans les Amériques! En anglais, j'ai appris non seulement à bien lire, mais aussi à bien écrire. C'est très important, parce que je dois souvent créer des scénarios pour mon travail.

Ces cours m'ont préparée pour mes études au collège Lauzon, et le collège m'a donné la formation nécessaire pour réussir dans ma vie professionnelle.

Mais la carrière de vidéographe n'est pas votre seule option! Vous pouvez devenir infographiste! L'infographiste utilise l'ordinateur pour préparer des textes, des dessins et des photographies dans des documents. Ou vous pouvez devenir Webmestre! Le Webmestre compose le code nécessaire pour mettre du texte et des images sur des sites Web. Vous pouvez aussi devenir animateur 2D ou 3D… L'animateur ou l'animatrice crée des images à deux ou trois dimensions comme les personnages humains virtuels dans les nouveaux films!

Et le multimédia est présent dans tous les domaines : dans l'information, l'éducation, la santé et les divertissements! L'avenir vous attend au collège Lauzon. Pour plus d'information, demandez à votre conseiller ou conseillère en orientation!

Lisons! Test de lecture (suite)

Réponds aux questions suivantes en phrases complètes.

1. Katia est vidéographe. Donne un exemple du travail qu'elle a fait.

   Elle a créé une visite guidée virtuelle du Musée des beaux-arts sur cédérom.

2. Où est-ce que Katia a étudié le multimédia?

   Elle a étudié le multimédia au collège Lauzon.

3. Quelles qualités personnelles doit-on avoir pour travailler dans le multimédia?

   de l'imagination   _de la créativité_

4. Quels sont les intérêts de Katia?

   l'informatique   _les jeux vidéo_   _les films_

5. Qu'est-ce que Katia a acheté dans une vente de garage? Pourquoi?

   Elle a acheté une vieille caméra vidéo parce qu'elle aime la vidéo.

6. Quels cours est-ce que Katia considère comme essentiels pour sa carrière?

   les arts visuels   _l'informatique_

7. Nomme trois autres carrières dans le multimédia.

   infographiste   _Webmestre_   _animateur 2D ou 3D_

8. Nomme des domaines où on trouve le multimédia.

   l'information   _l'éducation_   _la santé_

9. Quelle carrière multimédia t'intéresse le plus? Pourquoi?

   Answers will vary.

   _____

10. Quelle est ta matière scolaire préférée? Pourquoi?

    Answers will vary.

    _____

Écrivons! Test d'écriture

Écris une lettre à une personne qui a une carrière qui t'intéresse. Demande à cette personne si tu peux lui poser des questions à propos de sa carrière.

Dans la lettre, il est nécessaire d'avoir...

- **du vocabulaire des carrières, des qualités personnelles, des intérêts et des cours;**
- **le pronom *on*;**
- **deux adverbes qui se terminent en *–ment* (naturellement, etc.);**
- **trois questions au *passé composé*;**
- **de 20 à 25 phrases (trois phrases composées avec *et, parce qu(e)* ou *mais*).**

Des idées pour ta lettre :

Introduction — Paragraphe 1

1. Comment t'appelles-tu?
2. Quel âge as-tu?
3. Où vas-tu à l'école?
4. En quelle année es-tu à l'école?
5. Quels sont tes intérêts?
6. Comment es-tu? (Fais une courte description de tes qualités personnelles.)

Paragraphe 2

7. Qu'est-ce que tu étudies dans ton cours de français? (les carrières)
8. Quel projet est-ce que tu prépares? (un profil de carrière)
9. Quelles carrières t'intéressent?
10. Pourquoi?
11. Demande si tu peux lui poser des questions à propos de sa carrière.
12. Quelles questions est-ce que tu veux poser à cette personne?

Conclusion — Paragraphe 3

13. Où est-ce que tu peux rencontrer cette personne?
14. Quels jours est-ce que tu peux rencontrer cette personne?
15. À quel numéro de téléphone est-ce que cette personne peut t'appeler?

Le partitif et la négation

Réponds aux questions à la *forme négative*.

Exemple : Est-ce que tu as des pinceaux que je peux emprunter?

Non, je n'ai pas de pinceaux que tu peux emprunter.

1. Avez-vous lu des livres d'art sur ce thème?

   Non, nous n'avons pas lu de livres d'art sur ce thème.

2. Est-ce que Rebecca veut de l'aide avec son projet d'art?

   Non, Rebecca ne veut pas d'aide avec son projet d'art.

3. Est-ce que les artistes ont utilisé des boutons dans le collage?

   Non, les artistes n'ont pas utilisé de boutons dans le collage.

4. Est-ce que les visiteurs ont mangé du gâteau à l'exposition d'art?

   Non, les visiteurs n'ont pas mangé de gâteau à l'exposition d'art.

5. Allez-vous faire de la peinture pendant votre voyage en Europe?

   Non, nous n'allons pas faire de peinture pendant notre voyage en Europe.

6. Est-ce qu'on doit avoir de l'argent pour créer une œuvre d'art?

   Non, on ne doit pas avoir d'argent pour créer une œuvre d'art.

7. As-tu trouvé du matériel recyclé dans la poubelle?

   Non, je n'ai pas trouvé de matériel recyclé dans la poubelle.

8. Est-ce que le Musée royal de l'Ontario a des expositions d'art contemporain?

   Non, le Musée royal de l'Ontario n'a pas d'expositions d'art contemporain.

9. Vas-tu incorporer de la ficelle dans ta sculpture?

   Non, je ne vais pas incorporer de ficelle dans ma sculpture.

10. Est-ce que les sculptures ont toujours des thèmes précis?

    Non, les sculptures n'ont pas toujours de thèmes précis.

L'accord du partitif avec le nom

Remplis les tirets avec la bonne forme du *partitif*.

Exemple : Les artistes ont tous _____ talent.

Les artistes ont tous __du__ talent.

1. Moi, j'aime faire __des__ dessins de choses ordinaires et j'aime utiliser __des__ crayons de couleur.

2. Pour être artiste, tu dois avoir __de l'__imagination et __de la__ créativité.

3. Vous allez créer __des__ œuvres d'art et __des__ descriptions de ces œuvres.

4. Je vais au musée pour voir __des__ formes d'art extraordinaires.

5. Pour faire __de l'__art sur tissu, on utilise __du__ tissu et __de la__ peinture et on décore ensuite le tissu.

6. On décore le tissu avec __des__ perles et __des__ objets intéressants.

7. Ceux qui aiment faire __de l'__art numérique aiment aussi les ordinateurs.

8. Pour faire __des__ collages, est-ce que tu utilises __du__ matériel recyclé ou est-ce que tu achètes __des__ outils et __du__ matériel au magasin?

9. Les artistes savent exprimer leurs idées avec __de la__ couleur.

10. Avant de commencer le projet, les élèves ont ramassé __de la__ ficelle et __du__ métal.

11. On doit avoir __de la__ patience pour travailler avec __de l'__argile.

12. On peut utiliser __du__ carton si on n'a pas de toile.

13. Si tu travailles fort, tu peux avoir __des__ résultats magnifiques!

14. Souvent les artistes ont __de la__ difficulté à trouver __du__ matériel pour créer leurs œuvres d'art.

15. Les élèves de la classe de Mme Chapin font __des__ figurines pour l'exposition collective.

Le pronom *en*

Réponds aux questions suivantes et remplace les mots en italique par le pronom *en*. Utilise ton livre pour vérifier la place du pronom *en* dans la phrase.

Des questions au présent

1. Est-ce que tu fais *de la recherche sur cette forme d'art?*

Oui, j'en fais.

2. Est-ce qu'il y a *des expositions d'art?*

Oui, il y en a.

3. Est-ce que vous avez *des exemples d'art numérique?*

Oui, nous en avons.

Des questions au passé composé

4. Est-ce que tu as trouvé *du matériel recyclé* pour ton projet d'art dans la poubelle?

Oui, j'en ai trouvé pour mon projet d'art dans la poubelle.

5. Est-ce que ta famille a visité *des musées et des galeries* en Europe?

Non, ma famille n'en a pas visité en Europe.

6. Est-ce qu'il a pris *des photos* à l'intérieur du musée?

Oui, il en a pris à l'intérieur du musée.

7. Est-ce que tu as incorporé *des bouteilles* dans ta sculpture?

Non, je n'en ai pas incorporé dans ma sculpture.

Des questions avec un verbe et un infinitif

8. Est-ce que nous allons étudier *des artistes* dans notre classe d'art?

Oui, nous allons en étudier dans notre classe d'art.

9. Est-ce que je peux avoir *des couvercles de canettes de jus congelé* pour mon collage?

Oui, tu peux en avoir pour ton collage.

10. Est-ce que tu aimes faire *de la poterie?*

Non, je n'aime pas en faire.

Les adjectifs démonstratifs (révision)

> **Pour désigner un nom spécifique, on utilise les adjectifs démonstratifs *ce, cet, cette* et *ces*.**
>
> masculin singulier → ce projet d'art
>
> masculin singulier (devant une voyelle ou un h muet) → cet objet
>
> féminin singulier → cette œuvre d'art
>
> masculin et féminin pluriel → ces projets d'art, ces objets, ces œuvres d'art

Remplace les mots en italique par le bon adjectif démonstratif :
ce, cet, cette, ces.

Exemple :   *La* forme d'art est très difficile à imiter.

<u>Cette forme d'art est très difficile à imiter.</u>

1. *Plusieurs* artistes font des portraits d'animaux.

<u>Ces artistes font des portraits d'animaux.</u>

2. *L'*œuvre d'art est un vrai chef d'œuvre.

<u>Cette œuvre d'art est un vrai chef d'œuvre.</u>

3. Je ne sais pas comment utiliser *l'*outil.

<u>Je ne sais pas comment utiliser cet outil.</u>

4. Que penses-tu de *mon* exposition d'art?

<u>Que penses-tu de cette exposition d'art?</u>

5. Où avez-vous trouvé tous *vos* objets recyclés?

<u>Où avez-vous trouvé tous ces objets recyclés?</u>

6. Je veux *le* thème pour mon œuvre d'art.

<u>Je veux ce thème pour mon œuvre d'art.</u>

7. Tout le monde a remarqué que *l'*élève a beaucoup de talent artistique.

<u>Tout le monde a remarqué que cet élève a beaucoup de talent artistique.</u>

8. Les artistes choisissent *les* sujets pour leurs tableaux.

<u>Les artistes choisissent ces sujets pour leurs tableaux.</u>

9. Je pense que *le* paysage est un bon sujet pour une peinture.

<u>Je pense que ce paysage est un bon sujet pour une peinture.</u>

10. Ils ont trouvé du matériel dans *la* boîte de recyclage.

<u>Ils ont trouvé du matériel dans cette boîte de recyclage.</u>

Les mots français et anglais

Utilise les mots utiles pour compléter le courriel de Lisa. Attention : il y a beaucoup de faux amis!

Salut Lizanne,

Comment ça va? Moi, ça va super bien! Je participe à un camp d'arts visuels cette semaine et je m'amuse comme une folle. Chaque jour, on expérimente avec une forme d'art différente. Lundi, on a _récupéré_ des objets de la boîte bleue pour créer une _sculpture_ d'art recyclé. Mardi, on a fait de l'art _numérique_ à l'aide d'un nouveau logiciel. J'ai choisi le _thème_ de l'aventure pour mon collage. Mercredi, on a fabriqué des bracelets avec des _perles_. (Il y a beaucoup de _détails_ dans mon design!) Jeudi, on a créé des dessins _animés_ à l'ordinateur et vendredi, on a fait de la peinture abstraite sur _tissu_. Imagine, on peut porter nos _créations_! Aujourd'hui, on se _réunit_ à la bibliothèque pour _exposer_ nos œuvres d'art. Chaque personne va présenter son _projet_ préféré. (Je vais _présenter_ mon bracelet.) Je dois _répéter_ deux ou trois fois ce matin parce que je ne veux pas être _nerveuse_.

Amitiés,

Lisa

Mots utiles

animés	créations	détails	exposer	nerveuse
numérique	perles	présenter	projet	récupéré
répéter	réunit	sculpture	thème	tissu

Le dictionnaire

> On utilise le dictionnaire pour vérifier l'orthographe d'un mot.

Voici des mots brouillés. Cherche les mots dans le dictionnaire pour vérifier l'orthographe. Ensuite, mets le mot dans la phrase. Attention à la forme des verbes, à l'accord (masculin, féminin, singulier, pluriel) et aux accents!

1. mqréeniuu — On fait de l'art ___numérique___ à l'aide d'un logiciel.

2. hèemt — Le ___thème___ de mon collage est l'aventure.

3. eptéerrsen — Chaque branche ___représente___ une carrière.

4. sléaidt — On doit avoir de la patience pour ajouter les ___détails___ à la sculpture.

5. mnaisé — Regarde mes dessins ___animés___. Je suis peut-être le prochain Walt Disney.

6. npeetriu — Si on fait de la ___peinture___ sur tissu, on peut porter nos créations.

7. tenerépsr — Chaque élève va ___présenter___ son projet d'art à la classe.

8. utjeos — Mariko utilise de vieux ___jouets___ comme symboles.

9. euuhscasrs — Les ___chaussures___ de danse représentent une ballerine.

10. ycelrcé — On peut créer des œuvres d'art avec du matériel ___recyclé___.

11. liearg — On peut faire de la poterie avec de l'___argile___.

12. ébarnch — L'artiste ___branché___ n'utilise pas de toile, de peinture, de pinceau…

13. pgeoné — On utilise une ___éponge___ pour faire de la poterie.

14. ioetl — Un(e) artiste peint sur une ___toile___.

15. uuesclptr — Le projet de Mariko est une ___sculpture___.

Écoutons! Test de compréhension orale

A **Écoute les descriptions de formes d'art. Associe chaque description aux images suivantes.**

<table>
<tr><td>1 A </td><td>4 D </td></tr>
<tr><td>3 B </td><td>6 E </td></tr>
<tr><td>2 C </td><td>5 F </td></tr>
</table>

B **Écoute la conversation de Mariko et d'Elena. Puis, complète les phrases suivantes.**

1. Selon Mariko, le t-shirt d'Elena est…
   - **a)** bizarre.
   - **(b)** simple.
   - **c)** compliqué.

2. Elena a besoin d'aide parce que son t-shirt n'a pas de…
   - **a)** titre.
   - **b)** symbole.
   - **(c)** thème.

3. Elena décide d'illustrer…
   - **a)** son groupe de musique préféré.
   - **(b)** son concert préféré.
   - **c)** son type de musique préféré.

4. Les explosions de couleurs sur le t-shirt représentent…
   - **(a)** la passion d'Elena pour la musique.
   - **b)** le concert d'*Électrica*.
   - **c)** une guitare.

5. Elena dit qu'elle…
   - **a)** n'est pas créative.
   - **b)** n'a pas d'ordinateur.
   - **(c)** n'est pas bonne en dessin.

6. Mariko suggère à Elena de faire…
   - **a)** un portrait.
   - **(b)** de l'art abstrait.
   - **c)** un collage.

7. Elena va tracer son dessin sur…
   - **a)** le premier t-shirt.
   - **b)** le t-shirt de sa petite sœur.
   - **(c)** un nouveau t-shirt.

8. Qui a de la peinture acrylique?
   - **a)** Elena en a.
   - **b)** La petite sœur d'Elena en a.
   - **(c)** Mariko en a.

9. Sur le t-shirt, Mariko veut ajouter…
   - **(a)** des perles.
   - **b)** des boutons.
   - **c)** des détails.

10. Elena est heureuse parce que son t-shirt va être…
    - **a)** super.
    - **(b)** branché.
    - **c)** imaginatif.

Parlons! Test de communication / production orale

Prépare des réponses pour les questions suivantes.

- **Pour la Partie A, réponds à la *forme négative*.**
- **Pour la Partie B, réponds à l'*affirmatif* ou au *négatif* avec le pronom *en*.**
- **Pour la Partie C, donne ton opinion.**

Après, ton ou ta partenaire va te poser 10 questions : trois questions de la Partie A, quatre questions de la Partie B et trois questions de la Partie C.

Partie A

Answers will vary.

1. Est-ce qu'on utilise un ordinateur pour faire une peinture sur toile? Explique.
2. Est-ce qu'on utilise des crayons pour faire de l'aquarelle? Explique.
3. Est-ce qu'on utilise un ordinateur pour faire de l'art sur tissu? Explique.
4. Est-ce qu'on utilise de l'argile pour faire du dessin? Explique.
5. Est-ce qu'on utilise du matériel recyclé pour faire de la poterie? Explique.

Partie B

1. Est-ce qu'on utilise de l'argile pour faire de la poterie?
2. Est-ce qu'on utilise beaucoup de perles pour faire un bracelet?
3. Est-ce qu'on utilise un ordinateur pour faire de l'art numérique?
4. Est-ce qu'on utilise des crayons pour faire une sculpture?
5. Est-ce que l'artiste a utilisé de l'argile pour faire de la poterie?
6. Est-ce que l'artiste a utilisé beaucoup de perles pour faire un bracelet?
7. Est-ce que l'artiste a utilisé un ordinateur pour faire de l'art numérique?
8. Est-ce que l'artiste a utilisé des crayons pour faire une sculpture?
9. Est-ce qu'on peut utiliser de l'argile pour faire de la poterie?
10. Est-ce qu'on peut utiliser beaucoup de perles pour faire un bracelet?
11. Est-ce qu'on peut utiliser un ordinateur pour faire de l'art numérique?
12. Est-ce qu'on peut utiliser des crayons pour faire une sculpture?

Partie C

1. Selon toi, quelle forme d'art est la plus ancienne? Explique.
2. Selon toi, quelle forme d'art est la plus moderne? Explique.
3. Selon toi, quelle forme d'art est la plus pratique? Explique.
4. Selon toi, quelle forme d'art est la plus intéressante? Explique.
5. Selon toi, quelle forme d'art est la plus facile? Explique.

Lisons! Test de lecture

A Lis ces descriptions de quatre artistes canadiens.

Joe Fafard

Joe Fafard est un sculpteur célèbre au Canada. Il est né en 1942 à Sainte-Marthe, un petit village francophone en Saskatchewan. Au début, Joe Fafard a créé des sculptures en céramique. Après, il en a sculpté en bronze. En 1984, il a créé une «installation extérieure» appelée *Le pâturage. Le pâturage* est une série de sept sculptures de vaches en bronze exposées au centre-ville de Toronto. Il fait des portraits de gens ordinaires et d'animaux. Aujourd'hui, l'artiste travaille à Régina, en Saskatchewan.

Daphne Odjig

Daphne Odjig est une des plus célèbres artistes amérindiennes au Canada. Elle est membre de la Première nation des Wikwemikong de l'île Manitoulin en Ontario. Elle est née en 1928. Sa carrière a commencé dans les années 1960. Daphne Odjig a peint la vie des Cris du nord du Manitoba. Elle a participé à plus de 30 expositions en solo et 50 expositions collectives. Elle a fait une peinture murale célèbre appelée *The Indian in Transition,* qu'on peut voir au Centre national des Arts à Ottawa. Aujourd'hui, Daphne Odjig habite en Colombie-Britannique. Elle fait de la peinture à l'huile sur bois et à l'acrylique sur papier. Elle fait aussi des dessins. Elle en fait au pastel et avec des crayons de couleur.

Suzanne Duranceau

Suzanne Duranceau est illustratrice. En premier, elle a étudié la peinture, la gravure et l'animation. Après, elle a découvert l'illustration. Elle fait des dessins et des illustrations pour des publications et de la publicité. Elle a déjà fait treize timbres pour Postes Canada. Elle est aussi illustratrice de livres d'enfants, et en a illustré beaucoup! *Millicent and the Wind,* de Robert Munsch, est un exemple de son travail. Aujourd'hui, Suzanne Duranceau utilise son talent et sa fascination pour le détail pour représenter des personnes et des animaux. Son thème est l'harmonie dans la nature. Suzanne Duranceau travaille à Montréal.

Scott Fillier

Scott Fillier est un artiste visuel, un poète et un musicien. Il est né en 1939 à Terre-Neuve. Dans les années 1960, Scott Fillier a étudié au Collège des Arts à Toronto en Ontario et à l'Université Concordia à Montréal. Au commencement de sa carrière, il a fait des portraits et des paysages. Il en a peint avec de la peinture à l'huile et il en a fait avec des crayons et de l'encre. Après 1986, Fillier a utilisé de la peinture acrylique sur le plexiglass. Ensuite, il a peint de l'art abstrait. Scott Fillier accompagne souvent ses œuvres d'art de sa poésie et de sa musique. Aujourd'hui, il habite en Ontario. Il expérimente surtout avec de l'art numérique.

Lisons! Test de lecture (suite)

B **Relis le texte et réponds aux questions suivantes.**

   1. Quel(le) artiste…

   a) habite en Ontario? _____*Scott Fillier*_____

   b) est né(e) en Ontario? _____*Daphne Odjig*_____

   c) a étudié en Ontario? _____*Scott Fillier*_____

   d) a exposé son art en Ontario? _____*Joe Fafard*_____

   2. Quel(le) artiste a fait…

   a) une peinture murale? _____*Daphne Odjig*_____

   b) de l'art numérique? _____*Scott Fillier*_____

   c) de la sculpture? _____*Joe Fafard*_____

   d) des dessins animés? _____*Suzanne Duranceau*_____

   3. Quel(le) artiste a utilisé…

   a) de la céramique? _____*Joe Fafard*_____

   b) des crayons de couleur? _____*Daphne Odjig*_____

   c) de l'acrylique? _____*Scott Fillier et Daphne Odjig*_____

   d) de l'encre? _____*Scott Fillier*_____

   4. Quel(le) artiste a représenté…

   a) l'art abstrait? _____*Scott Fillier*_____

   b) l'harmonie dans la nature? _____*Suzanne Duranceau*_____

   c) des gens ordinaires? _____*Joe Fafard*_____

   d) des vaches? _____*Joe Fafard*_____

   5. Qu'est-ce que le pronom **en** représente dans chaque phrase?

   a) Joe Fafard : Il **en** a sculpté en bronze. *des sculptures de vaches*

   b) Daphne Odjig : Elle **en** a fait au pastel et avec des crayons de couleur.
   des dessins

   c) Suzanne Duranceau : Elle **en** a illustré beaucoup. *des livres d'enfants*

   d) Scott Fillier: Il **en** a peint avec de la peinture à l'huile. *des portraits et*
   des paysages

C **Selon toi, quel(le) artiste est le / la plus intéressant(e)? Pourquoi?**
Answers will vary.
_____

_____

_____

Écrivons! Test d'écriture

Avant de commencer, choisis une œuvre d'art. L'œuvre d'art peut être :

- une création d'un(e) artiste dans ta classe;
- une image d'une œuvre d'art célèbre;
- une œuvre d'art apportée de la maison.

Imagine que tu es journaliste pour un journal local. Tu vas à une exposition d'art collective et tu remarques une œuvre d'art intéressante. Tu parles à l'artiste ou tu lis la biographie de l'artiste. Écris un article de journal d'au moins 20 phrases. *Answers will vary.*

Utilise les questions suivantes pour t'aider à écrire ton article.

- Où a lieu l'exposition d'art collective? (un vrai musée, une vraie galerie, la bibliothèque de ton école…)
- Quel est l'objectif de cette exposition?
- Quelles formes d'art sont présentées à l'exposition?
- Est-ce que les artistes sont présents?
- Est-ce qu'il y a des biographies d'artistes?

- Quelle œuvre d'art a attiré ton attention?
- Quelle forme d'art est utilisée?
- Quel est le titre de l'œuvre d'art?

- Quel est le sujet de l'œuvre d'art?
- Fais une description de l'œuvre d'art :
  - Quel matériel est-ce que l'artiste a utilisé?

- Selon l'artiste ou la biographie de l'artiste :
  - Quel est le thème de l'œuvre d'art?
  - Qu'est-ce que chaque élément de l'œuvre représente?
  - Quelle est sa source d'inspiration?

- Qui est l'artiste de l'œuvre d'art?
- Selon l'artiste ou la biographie de l'artiste :
  - Quelle est sa nationalité ou son pays d'origine?
  - Quel âge a l'artiste?
- Quelles formes d'art est-ce que l'artiste fait ou aime faire?
- Quand est-ce que l'artiste a créé l'œuvre d'art?

- Combien de temps va durer l'exposition d'art collective?
- Pourquoi est-ce qu'on doit aller voir cette exposition d'art collective?

Utilise au moins une phrase négative avec le *partitif*.

Utilise le pronom *en* au moins une fois.

Utilise des mots de vocabulaire de l'unité.

Le passé composé avec *être*

Complète les phrases suivantes avec un verbe au *passé composé*. Utilise les mots utiles et fais attention à l'accord du participe passé.

Exemple : Les mâts du navire _____ _____ pendant la bataille.

Les mâts du navire __*sont*__ __*tombés*__ pendant la bataille.

1. Blanche __*est*__ __*sortie*__ de sa cabine pour voir la côte de la Nouvelle-France.

2. Raymond __*est*__ __*parti*__ pour la Nouvelle-France avec son régiment.

3. L'anniversaire de Blanche est au mois de mai; elle __*est*__ __*née*__ au printemps.

4. Après la bataille avec les pirates, tous les Français, sauf Blanche __*sont*__ __*morts*__ .

5. Pendant la bataille, des Français et des pirates __*sont*__ __*tombés*__ dans l'océan.

6. Beaucoup d'officiers __*sont*__ __*allés*__ en Nouvelle-France pour défendre les territoires.

7. Quand Blanche a refusé d'épouser le capitaine des pirates, il __*est*__ __*devenu*__ très fâché.

8. Les pirates __*sont*__ __*montés*__ à bord du navire français pour attaquer les Français.

9. Cette légende est triste parce que Blanche et Raymond ne __*sont*__ jamais __*retournés*__ dans leur pays natal, la France.

10. Pendant le voyage dans le bateau de pirates, Blanche __*est*__ __*restée*__ dans sa cabine.

Mots utiles

aller	devenir	monter	mourir	naître
partir	rester	retourner	sortir	tomber

Les contractions

à + l'article défini	de + l'article défini
à + le = au	de + le = du
à + la = à la	de + la = de la
à + l' = à l'	de + l' = de l'
à + les = aux	de + les = des

A **Complète les phrases suivantes avec la bonne contraction (*au, à l', à la, ou aux*) et les mots en italique.**

Exemple : Connais-tu les *éléments* d'une bonne légende?
As-tu réfléchi __aux éléments__ de ta légende?

1. Blanche n'aime pas le *capitaine*. Elle ne veut pas parler __au capitaine__ .

2. Raymond aime la *jeune femme*. Il a demandé __à la jeune femme__ de l'épouser.

3. L'*officier* est parti en Nouvelle-France. Le roi de France a donné des ordres __à l'officier__ .

4. Le *navire* a une forme distincte. Penses-tu que le rocher ressemble __au navire__ ?

5. Les *questions* du capitaine sont énervantes. Blanche a refusé de répondre __aux questions__ .

B **Complète les phrases suivantes avec la bonne contraction (*du, de l', de la, ou des*) et les mots en italique.**

Exemple : J'aime lire les *légendes*. Toi, que penses-tu __des légendes__ ?

1. Le *fantôme* est sur la côte. Les pirates ont peur __du fantôme__ !

2. L'*explication* des gens de la région est intéressante. Que penses-tu __de l'explication__ ?

3. Blanche est restée dans la *cabine*. Elle n'est pas sortie __de la cabine__ .

4. Les *histoires de pirates* sont fascinantes. Que penses-tu __des histoires de pirates__ ?

5. Le *bateau* de pirates est près de la côte. Un vent mystérieux a pris le contrôle __du bateau__ .

Le pronom *en* (révision)

A **Réponds aux questions personnelles à l'*affirmatif* ou au *négatif*. Remplace les mots en italique par le pronom *en*. Attention à la place du pronom dans la phrase!**

Exemple : Est-ce que tu mets *du sirop d'érable* sur tes crêpes?

Oui, j'en mets.

1. Est-ce que tu as une *idée intéressante* pour ta légende?

Oui, j'en ai une. / Non, je n'en ai pas.

2. Est-ce que tu lis beaucoup *de légendes*?

Oui, j'en lis beaucoup. / Non, je n'en lis pas beaucoup.

3. Est-ce que tu chantes souvent *des chansons traditionnelles*?

Oui, j'en chante souvent. / Non, je n'en chante pas souvent.

4. Est-ce que tu aimes jouer *des tours* à tes amis?

Oui, j'aime en jouer. / Non, je n'aime pas en jouer.

5. Est-ce que tu aimes raconter *des histoires* à tes amis?

Oui, j'aime en raconter. / Non, je n'aime pas en raconter.

6. Est-ce que tu veux raconter une *légende* à la classe?

Oui, je veux en raconter une. / Non, je ne veux pas en raconter.

7. Est-ce que tu connais d'autres *légendes* au sujet des ours?

Oui, j'en connais d'autres. / Non, je n'en connais pas d'autres.

8. Est-ce que tu as vu *des légendes* adaptées à la télévision?

Oui, j'en ai vu. / Non, je n'en ai pas vu.

9. Est-ce que tu as inventé une *légende*?

Oui, j'en ai inventé une. / Non, je n'en ai pas inventé.

10. Est-ce que tu as étudié *des phénomènes naturels* dans ton cours de sciences?

Oui, j'en ai étudié. / Non, je n'en ai pas étudié.

B **Avec un ou une partenaire, posez les questions à voix haute et répondez sans regarder aux réponses. Changez de rôle.**

L'accord du verbe avec un sujet composé

> **La forme du verbe correspond au nombre du sujet. Regarde les pronoms sujets suivants.**
>
> moi = je
> toi = tu
> le groupe = il
> moi et mes amis = on / nous
>
> le groupe et moi = nous
> toi et tes amis = vous
> mes amis = ils

Complète les phrases suivantes avec la bonne forme du verbe entre parenthèses. Attention à l'accord avec le sujet!

Exemple : Toi et tes amis _____ (écrire) des légendes.

Toi et tes amis _*écrivez*_ des légendes.

1. Moi et ma famille _*achetons*_ (acheter) du sirop d'érable chaque printemps.

2. Aaron, Mark et toi _*avez*_ (avoir) un thème pour votre légende.

3. Ma sœur et moi _*allons*_ (aller) dans la forêt pour prendre des photos.

4. Amir et ses amis _*aiment*_ (aimer) jouer des tours.

5. Jules et toi _*êtes*_ (être) responsables d'organiser les présentations orales.

6. Mon groupe et ton groupe _*travaillent*_ (travailler) ensemble sur une légende.

7. Suzanne et toi _*écoutez*_ (écouter) souvent des légendes au camp.

8. Mon père, mes amis et moi _*aimons*_ (aimer) faire de la pêche en hiver.

9. Mes camarades de classe _*lisent*_ (lire) des légendes québécoises.

10. Monique et Ivan _*ont*_ (avoir) hâte de lire d'autres légendes.

Mots-clés

Utilise les mots-clés pour compléter les phrases suivantes.

La légende du Rocher Percé

1. Après la bataille, Blanche a essayé d'aider les _____*blessés*_____ mais sans succès.

2. Blanche est devenue _____*agitée*_____ quand elle a vu le méchant sourire du capitaine.

3. Les pirates ont vu le fantôme de Blanche sur la _____*côte*_____.

4. Blanche a prononcé une _____*malédiction*_____ contre les pirates.

5. Les pirates sont _____*condamnés*_____ à passer l'éternité sur le navire en roc.

La légende du sirop d'érable

1. L'écureuil a mordu le _____*tronc*_____ de l'arbre.

2. L'homme a vu de l'eau _____*sucrée*_____ sortir de l'arbre.

3. Il en a mis dans le _____*chaudron*_____.

4. Le _____*goût*_____ du sirop d'érable est incomparable.

5. Le sirop a une belle couleur _____*dorée*_____.

Comment l'ours a perdu sa queue…

1. Le renard a joué un _____*tour*_____ à l'ours.

2. L'ours _____*affamé*_____ veut manger des poissons.

3. L'ours a mis sa _____*queue*_____ dans un trou dans la glace.

4. L'ours a eu une sensation _____*douloureuse*_____ dans sa queue.

5. La queue _____*gelée*_____ de l'ours est restée dans l'eau.

Mots-clés

affamé	agitée	blessés	chaudron	condamnés
côte	dorée	douloureuse	gelée	goût
malédiction	queue	sucrée	tour	tronc

Le dictionnaire

A **Cherche les mots suivants dans le dictionnaire. Décide si le mot est *un nom, un verbe, un adjectif* ou *un adverbe*. Ensuite, mets le mot dans la bonne colonne du tableau.**

affamé(e)	douloureux(euse)	longtemps	soudainement
agité(e)	enfin	mordre	tour
alors	épouser	rocher	trou
côte	gelé(e)	ronfler	

des noms	des verbes	des adjectifs	des adverbes
rocher	mordre	affamé(e)	longtemps
tour	ronfler	douloureux	enfin
trou	épouser	(euse)	soudainement
côte		agité(e)	alors
		gelé(e)	

B **Utilise les mots du tableau pour compléter les phrases suivantes. Attention à l'accord (masculin ou féminin, singulier ou pluriel) des noms, des adjectifs et à la forme des verbes!**

Trouve des noms...

1. Le fantôme de Blanche est sur la _____côte_____.

2. Le renard fait de la pêche dans un _____trou_____ dans la glace.

3. Le _____rocher_____ ressemble à un navire en roc.

Trouve des verbes...

4. Le capitaine des pirates veut _____épouser_____ la jeune femme.

5. L'ours dort et il _____ronfle_____ plus fort que le tonnerre.

Trouve des adjectifs...

6. L'écureuil révèle le secret à l'homme _____affamé_____.

7. La jeune femme _____agitée_____ voit le méchant sourire du capitaine.

8. L'ours a une sensation _____douloureuse_____ dans sa queue.

Trouve des adverbes...

9. _____Soudainement_____, de l'eau sucrée est sortie de l'arbre.

10. _____Enfin_____, le bateau de pirates est arrivé en Nouvelle-France.

Écoutons! Test de compréhension orale

A **Avant d'écouter ces légendes, lis les phrases suivantes. Ensuite, écoute bien et identifie les éléments de la légende.**

1. Le phénomène naturel expliqué dans cette légende est…
   a) des piquants.   **(b)** la queue de l'ours.   **c)** du sirop d'érable.

2. Le personnage principal dans cette légende est…
   a) un poisson.   **(b)** un homme.   **c)** un ours.

3. Le problème présenté dans cette légende est…
   (a) la vanité.   **b)** la faim.   **c)** la jalousie.

4. Cette légende est située…
   a) dans une forêt.   **b)** sur la mer.   **(c)** sur un volcan.

5. Cette légende est d'origine…
   a) amérindienne.   **b)** scandinave.   **(c)** australienne.

B **Avant d'écouter le récit d'Anne-Marie, lis les phrases suivantes. Ensuite, écoute l'histoire et complète les phrases.**

1. Aujourd'hui, Anne-Marie a…
   a) 40 ans.   **(b)** 60 ans.   **c)** 80 ans.

2. Anne-Marie est allée en Nouvelle-France pour trouver Philippe après…
   a) deux semaines.
   b) deux mois.
   (c) deux ans.

3. Quand les pirates ont attaqué le bateau,
   (a) le père d'Anne-Marie et beaucoup de Français sont morts.
   b) tous les Français sont morts sauf Anne-Marie.
   c) il y a eu seulement des blessés.

4. Anne-Marie a expliqué au capitaine qu'elle…
   a) ne va pas l'épouser.
   b) va l'épouser sur le bateau.
   (c) va l'épouser en Nouvelle-France.

5. Quand Anne-Marie a sauté du bateau, les pirates ont imaginé qu'elle…
   a) est allée à l'île.
   (b) est morte.
   c) est allée voir Philippe.

6. Quand Anne-Marie est arrivée sur l'île…
   a) le soleil est monté.
   b) le ciel est devenu très noir.
   (c) la lune est sortie.

7. Anne-Marie a levé les bras pour…
   a) saluer les pirates.
   (b) montrer sa joie.
   c) prononcer une malédiction.

8. Anne-Marie n'a pas trouvé Philippe parce qu'il…
   (a) est mort dans une bataille.
   b) a épousé une autre femme.
   c) est allé à l'hôpital.

9. Avant de mourir, Anne-Marie veut…
   a) retourner en France.
   (b) voir l'île d'Orléans.
   c) voir le bateau de pirates.

10. Les gens de l'île disent qu'ils entendent encore les cris…
    (a) des pirates.
    b) de la jeune femme.
    c) des oiseaux.

Parlons! Test de communication / production orale

Regarde les images et les mots-clés et raconte une histoire. Compose au moins trois ou quatre phrases pour chaque image. Utilise le *passé composé* et le pronom *en* au moins une fois.

Dans une légende scandinave, on explique pourquoi les conifères sont toujours verts. Le vent du Nord a remercié les conifères parce qu'ils ont aidé un petit oiseau blessé. *Answers will vary.*

voler, partir, le Sud, triste

rester, le Nord, des graines, faim, froid, seul

aller, la forêt, un arbre, méchant

aider, un conifère, sympathique

arriver, souffler, punir, le vent du Nord, les feuilles, fâché

voir, remercier, un nid, les branches, joyeux

Lisons! Test de lecture

A **Lis ces quatre autres légendes amérindiennes qui expliquent aussi l'origine du sirop d'érable.**

Au commencement des temps, du sirop pur est sorti des érables. Quand le dieu de la Nature a bu le sirop, il en a aimé le goût. «Les humains ne vont pas apprécier ce sirop parce qu'il est trop facile à obtenir», a pensé le dieu de la Nature. «Avant de goûter ce sirop formidable, il est important que les humains travaillent. Ils doivent chauffer de l'eau sucrée toute la nuit dans un chaudron.» Le dieu de la Nature a pris de l'eau. Ensuite, il est monté au sommet de l'érable et il en a versé à l'intérieur de l'arbre. Il en a versé beaucoup. Il a transformé le sirop en eau sucrée. Depuis ce temps-là, les humains doivent travailler pour obtenir du sirop d'érable.

Il y a très longtemps, un chef amérindien est sorti de sa hutte. La nuit précédente, il a planté sa hache dans un érable. Le matin, il a retiré sa hache. La hache a fait une incision dans l'arbre. Le chef est parti à la chasse. Un pot est resté sous l'érable. Quand le soleil est monté dans le ciel, l'eau est sortie de l'arbre et a rempli le pot. Le lendemain, la femme du chef a remarqué le pot rempli d'eau. Elle a utilisé cette eau pour préparer le souper parce qu'elle n'a pas voulu marcher jusqu'à la rivière. Le soir, le chef a mangé son souper. Quand sa femme a vu son regard et son beau sourire, elle est devenue curieuse. Elle a goûté à la viande. C'était délicieux!

Une autre légende raconte qu'un amérindien nommé Gros Ours est parti à la chasse. Gros Ours a utilisé des flèches pour chasser. Il en a tiré une sur un renard, mais sans succès. La flèche a frappé un érable. Gros Ours est allé retirer la flèche. Tout à coup, de l'eau est sortie de l'érable. Il a mis un bol en écorce sous l'arbre. Le lendemain, le bol était plein. Gros Ours a bu l'eau du bol; il en a adoré le goût. C'était de l'eau sucrée.

Un printemps, il y a très longtemps, une vieille femme est allée dans la forêt. Elle a pris de l'eau sucrée des érables pour préparer la nourriture. La vieille femme a voulu en chauffer parce qu'elle aimait le goût. Alors, elle en a mis dans un pot et elle a placé le pot sur son feu. Fatiguée, elle a dormi pendant de longues heures. Tout à coup, elle a ouvert les yeux et elle a regardé dans le pot. L'eau sucrée avait disparu. À sa place, elle a trouvé un sirop doré, clair et sucré.

Lisons! Test de lecture (suite)

B **Relis les quatre petites légendes. Ensuite, lis les phrases suivantes et décide si elles sont *vraies* (V) ou *fausses* (F). Corrige les phrases fausses.**

1. Le dieu de la Nature a mis du sirop à l'intérieur des érables. V (F)

   Il a mis de l'eau à l'intérieur des érables.

2. Les humains doivent travailler pour avoir le sirop d'érable. (V) F

   _____

3. La femme du chef a goûté à la viande parce qu'elle avait faim. V (F)

   Elle a goûté à la viande parce qu'elle est devenue curieuse.

4. Gros Ours est allé dans la forêt pour trouver du sirop d'érable. V (F)

   Il est allé dans la forêt pour chasser.

5. La vieille femme a mis de l'eau sucrée dans un pot. (V) F

   _____

C **Réponds aux questions suivantes en phrases complètes.**

1. Le dieu de la Nature ne veut pas donner de sirop aux humains. Pourquoi?

   Il ne veut pas leur en donner parce qu'ils ne vont pas apprécier le sirop
   qui est trop facile à obtenir.

2. La femme du chef a utilisé l'eau qui est sous l'arbre pour préparer le souper. Pourquoi?

   La femme du chef a utilisé l'eau qui est sous l'arbre pour préparer le
   souper parce qu'elle n'a pas voulu marcher jusqu'à la rivière.

3. Selon la légende de Gros Ours, quand est-ce que l'eau est sortie de l'érable?

   Selon la légende de Gros Ours, l'eau est sortie de l'érable quand Gros
   Ours a retiré la flèche de l'arbre.

4. La vieille femme a chauffé l'eau sucrée pendant de longues heures. Pourquoi?

   Elle a chauffé l'eau sucrée pendant de longues heures parce qu'elle s'est
   endormie.

5. Quelle légende préfères-tu? Pourquoi?

   Answers will vary.

   _____

Écrivons! Test d'écriture

Utilise les éléments suivants et le plan illustré pour raconter une légende. Écris au moins 20 phrases. Utilise des verbes au *passé composé*, le pronom *en* (au moins une fois) et des expressions pour indiquer la séquence des événements.

Le phénomène naturel : l'origine des chutes;

Les personnages : Louis et Mathilde; les Français et les Anglais;

Le temps : la guerre de la Conquête;

Les lieux : la Nouvelle-France.   *Answers will vary.*

tomber amoureux, épouser, rêver, porter, une robe blanche, le jour du mariage

devenir, aller, un soldat, les fiancés, la rivière, un rocher, une promesse

voir, arriver, attaquer, des navires anglais, à l'horizon, les habitants, la peur

partir, faire au revoir de la main, un régiment

perdre, des blessés, mourir, inconsolable

mettre, retourner, pleurer, tomber sans arrêt, créer, des larmes, les chutes

Carte du Canada

Complète la carte du Canada selon les instructions de ton ou ta professeur(e).

Answers will vary.

Y remplace quoi?

Qu'est-ce que le pronom *y* remplace dans les phrases suivantes? Souligne la bonne réponse et écris des phrases complètes avec les bons mots.

Exemple : Nous *y* trouvons des châteaux. (<u>en Angleterre</u>, à Ottawa)
Nous trouvons des châteaux en Angleterre.

1. J'*y* vais souvent pour faire des achats. (<u>au centre-ville</u>, au cinéma)
   Je vais souvent au centre-ville pour faire des achats.

2. Nous *y* sommes allé(e)s voir un match de baseball. (<u>au stade</u>, au gymnase)
   Nous sommes allé(e)s au stade voir un match de baseball.

3. Vous allez *y* passer la fin de semaine pour voir le château Frontenac. (à Calgary, <u>à Québec</u>)
   Vous allez passer la fin de semaine à Québec pour voir le château Frontenac.

4. Tu *y* es allé(e) avec tes ami(e)s pour écouter de la musique. (à la cafétéria, <u>à un concert</u>)
   Tu es allé(e) à un concert avec tes ami(e)s pour écouter de la musique.

5. Richard *y* est allé pour faire du camping. (<u>au parc provincial</u>, au terrain de jeu)
   Richard est allé au parc provincial pour faire du camping.

6. Est-ce que tu *y* vas pour voir les Rocheuses? (<u>en Colombie-Britannique</u>, au Manitoba)
   Est-ce que tu vas en Colombie-Britannique pour voir les Rocheuses?

7. M. et Mme Savard *y* ont mangé hier soir après leur voyage. (au cinéma, <u>au restaurant</u>)
   M. et Mme Savard ont mangé au restaurant hier soir après leur voyage.

8. Alexandre *y* promène son chien. (<u>au parc</u>, chez la vétérinaire)
   Alexandre promène son chien au parc.

9. Carole *y* va en métro pour faire ses recherches. (au terrain de jeu, <u>à la bibliothèque</u>)
   Carole va à la bibliothèque en métro pour faire ses recherches.

10. J'*y* ai passé deux semaines pour mes vacances d'été. (<u>au chalet</u>, à l'aéroport)
    J'ai passé deux semaines au chalet pour mes vacances d'été.

Les contractions (révision)

à + l'article défini	
à + le = au	Je parle **au** conducteur.
à + la = à la	Tu vas **à la** montagne.
à + l' = à l'	Nous allons **à l'**école.
à + les = aux	Le professeur parle **aux** élèves.

de + l'article défini	
de + le = du	Je sors **du** cinéma.
de + la = de la	Il sort **de la** maison.
de + l' = de l'	Nous partons **de l'**école.
de + les = des	Elle parle **des** voyages.

A **Complète chaque phrase avec *à la, au, à l'* ou *aux*.**

1. Je suis _à la_ maison.

2. Il va _au_ chalet.

3. Est-ce que nous participons _au_ concours?

4. Ils vont _aux_ montagnes.

5. Tu n'arrives pas _à l'_aéroport.

6. Ils ne vont pas _au_ cinéma.

7. On participe _aux_ activités.

8. Nous allons _au_ concert en groupe.

9. Est-ce que vous allez _à la_ bibliothèque après l'école?

10. Elle téléphone _au_ centre d'information.

B **Complète chaque phrase avec *de la, du, d', de l'* ou *des*.**

1. Je pédale _de la_ ville à la campagne en trente minutes.

2. Il part _de l'_école à 15 h 30.

3. Est-ce que nous parlons _des_ vacances?

4. Ils sortent _de la_ maison à 8 heures.

5. Tu as besoin _du_ vélo de ton frère.

6. Ils discutent _des_ différents moyens de transport.

7. On va _du_ gymnase à la maison.

8. Nous avons peur _des_ cauchemars.

9. Est-ce que vous avez besoin _d'_Internet?

10. Elle rêve _de la_ destination finale.

Carte des pays francophones

Complète la carte des pays francophones selon les instructions de ton ou ta professeur(e).

Answers will vary.

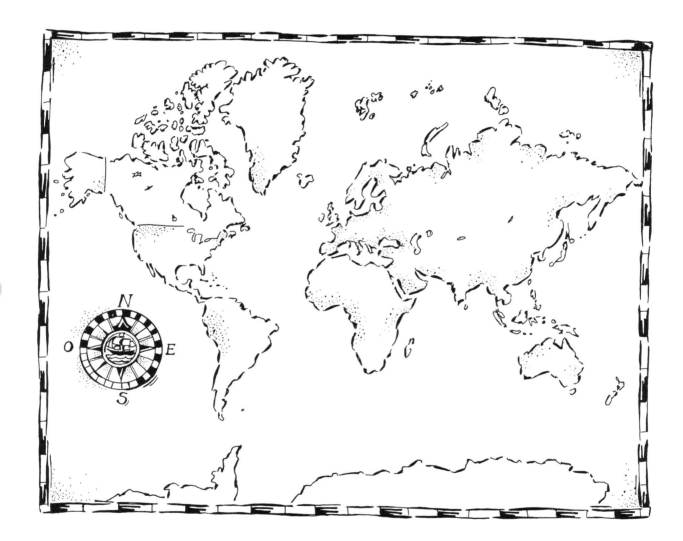

Le passé composé avec *être* (révision)

Écris dix phrases logiques. N'oublie pas de faire l'accord!   *Answers will vary.*

Je suis	allé	à Victoria en Colombie-Britannique.
Est-ce que tu es	monté	avec des amis?
Benoît est	descendu	en vélo?
Mia est	parti	au centre-ville.
On est	sorti	dans les montagnes.
Nous sommes	arrivé	en montgolfière pendant deux
Nous ne sommes pas	retourné	jours.
Est-ce que vous êtes	resté	en autobus.
Quand est-ce qu'ils sont		de Montréal à Québec?
Elles sont		à Saint-Jean de Terre-Neuve.

1. Je suis allé(e) au centre-ville.

2. Est-ce que tu es sorti(e) avec des amis?

3. Benoît est arrivé en autobus.

4. Mia est restée à Saint-Jean de Terre-Neuve.

5. On est parti dans les montagnes.

6. Nous sommes monté(e)s en montgolfière pendant deux jours.

7. Nous ne sommes pas descendu(e)s au centre-ville.

8. Est-ce que vous êtes monté(e)s de Montréal à Québec?

9. Quand est-ce qu'ils sont partis en vélo ?

10. Elles sont retournées à Victoria en Colombie-Britannique.

Le futur proche (révision)

Pour parler du futur, on utilise habituellement le *futur proche*. Regarde la phrase suivante tirée du texte *Le défi des transports*.

▓ … sinon je vais faire d'autres cauchemars!

> **Le futur proche**
>
> | sujet | + aller (au présent) | + l'infinitif du verbe |
> |---|---|---|
> | je | vais | faire |
> | tu | vas | atterrir |
> | il, elle, on | va | regarder |
> | nous | allons | écouter |
> | vous | allez | aller |
> | ils, elles | vont | etc. |
>
> **Au négatif :** Ils *ne* vont *pas* voyager.

Exemple : Benoît et Mia font une course transcanadienne.

Benoît et Mia vont faire une course transcanadienne.

1. Je commence à Victoria en Colombie-Britannique.

   Je vais commencer à Victoria en Colombie-Britannique.

2. Il prend le métro à New York.

   Il va prendre le métro à New York.

3. Est-ce que nous continuons en direction de Banff?

   Est-ce que nous allons continuer en direction de Banff?

4. Ils descendent dans le métro de Londres.

   Ils vont descendre dans le métro de Londres.

5. Tu ne passes pas par Thunder Bay.

   Tu ne vas pas passer par Thunder Bay.

6. Les *oshiya* poussent les passagers dans les voitures.

   Les oshiya vont pousser les passagers dans les voitures.

7. On part pour Toronto.

   On va partir pour Toronto.

8. Nous visitons la station Paddington du métro de Londres.

   Nous allons visiter la station Paddington du métro de Londres.

9. Est-ce que vous pédalez jusqu'à Québec?

   Est-ce que vous allez pédaler jusqu'à Québec?

10. Elle va sur le *Skytrain* à Vancouver.

    Elle va aller sur le Skytrain à Vancouver.

Les mots de la même famille

Complète la phrase avec un mot de la même famille que le mot entre parenthèses. Attention à l'accord!

Exemple : (difficile) Benoît a beaucoup de __difficulté__ avec son projet de géographie.

Trouve des noms...

1. (un aéroport) Ma famille a traversé la Manche en ___aéroglisseur___.

2. (transporter) Le ___transport___ en commun est meilleur pour l'environnement.

3. (une motocyclette) En hiver, les Canadiens aiment faire de la ___motoneige___.

4. (traverser) Nous avons pris un ___traversier___ pour voyager de l'île de Vancouver à la ville de Vancouver.

5. (voyager) Au Japon, les *oshiya* poussent les ___voyageurs___ dans les voitures du métro.

6. (fumer) Les locomotives à vapeur créent beaucoup de ___fumée___.

Trouve des verbes...

7. (un vol) Nous pouvons ___survoler___ la ville en montgolfière.

8. (un atterrissage) Mon avion va ___atterrir___ à 19 h 30.

9. (une pédale) Nous avons ___pédalé___ d'un bout à l'autre du parc provincial.

Trouve des adjectifs...

10. (le Canada) Je veux faire un voyage ___transcanadien___ de Vancouver à Saint-Jean de Terre-Neuve.

11. (un nom) Les stations de métro de Montréal sont ___renommées___ pour leur originalité.

12. (la profondeur) Les stations de métro de Londres sont si ___profondes___ que les habitants y sont allés pour se protéger des attaques aériennes pendant la Seconde Guerre mondiale.

Trouve des adverbes...

13. (long) J'ai travaillé ___longuement___ sur mon projet.

14. (malheureux) ___Malheureusement___, je ne peux pas sortir avec vous. J'ai trop de devoirs.

15. (immédiat) On est reparti ___immédiatement___ pour la ville de Québec.

L'orthographe des accents

Complète les mots suivants avec un *e, é, è, ç, î, ô*.

Je veux vous racont**e**r mon voyag**e**. J'ai fait un voyag**e** extraordinaire aux pays francophon**e**s autour du mond**e**. J'ai utilis**é** des moy**e**ns de transport diff**é**rents et j'ai vu de beaux paysages.

J'ai commenc**é** mon voyag**e** à Qu**é**bec au Canada. Qu**é**bec est la plus vieille ville fran**ç**aise d'Am**é**rique du Nord. Avant de partir, j'ai visit**é** le Vieux Qu**é**bec à pied et j'ai march**é** sur les plain**e**s d'Abraham. De Qu**é**bec, j'ai pris un avion pour la France.

Nous avons survol**é** l'oc**é**an Atlantique et je suis arriv**é** à Paris le soir. J'ai r**é**servé un bel h**ô**tel. Le lendemain, j'ai visit**é** la ville en m**é**tro. J'ai vu l'Arc de Triomphe, la Tour Eiffel et le mus**é**e du Louvre. De Paris, j'ai embarqu**é** sur un bateau de croisi**è**re pour le Sénégal.

J'ai d**é**barqué à Dakar, la capital**e** du Sénégal. La ville de Dakar est chaud**e** et humide, mais charmante. J'ai visit**é** la ville et la presqu'île du Cap Vert en autobus à imp**é**riale. Le Cap Vert est le point le plus à l'ouest du contin**e**nt de l'Afrique. De Dakar, j'ai travers**é** le contin**e**nt en motocyclett**e** et j'ai pris une motomarine pour all**e**r au Madagascar.

Le Madagascar est une **î**le sur la c**ô**te sud-est de l'Afrique dans l'oc**é**an Indien. J'ai fait un safari en jeep pour voir les plantes et les animaux uniques sur cette **î**le. De Madagascar, je suis mont**é** en montgolfi**è**re et j'ai survol**é** l'oc**é**an Indien et l'Australie. J'ai atterri en Nouvelle-Calédonie.

La Nouvelle-Calédonie est une **î**le fran**ç**aise dans l'oc**é**an Pacifique. J'ai visit**é** cette **î**le en v**é**lo. J'ai p**é**dalé tout l'apr**è**s-midi. Aussi, j'ai fait de la plong**é**e sous-marine pour voir les beaux récifs de corail. De la Nouvelle-Calédonie, je suis parti pour Sainte-Lucie en voili**e**r.

Sainte-Lucie est une **î**le dans la mer des Caraïbes. J'ai mang**é** des fruits de mer d**é**licieux et j'ai march**é** sur les plages de sabl**e** blanc. Cette **é**tape a **é**té la plus reposante de mon voyag**e**.

Et maintenant, c'est à votre tour! C'est le d**é**fi des transports!

Écoutons! Test de compréhension orale

A **Écoute les questions et les réponses. Indique le numéro de l'illustration qui correspond à la réponse de chaque personne.**

A 6

B 1

C 2

D 4

E 3

F 5

B **Écoute ces personnes parler de leurs vacances et identifie leur destination et leur moyen de transport.**

1. **a)** Martine est allée à _____ Calgary _____ .

   b) Elle y est allée en _____ avion _____ .

2. **a)** Maxime est allé à _l'île du Prince-Édouard_ .

   b) Il y est allé en _____ auto _____ .

3. **a)** Thomas est allé à l'île Manitoulin en _____ traversier _____ .

   b) Il est parti de Tobermory et il y est allé en _____ auto _____ .

4. **a)** Kristen est allée au _____ Yukon _____ .

   b) Elle y a suivi le *Chilkoot Trail* à _____ pied _____ .

5. **a)** Michel est allé au parc Forillon dans la péninsule de _____ Gaspé _____ .

   b) Il y a exploré les sentiers à _____ vélo _____ .

Parlons! Test de communication / production orale

Imagine que tu as voyagé au Canada l'été dernier. Voici des destinations de voyage. Un ou une partenaire va te poser 10 questions. Écoute ses questions, et réponds à l'oral. *Answers will vary.*

Lisons! Test de lecture

A Lis le texte suivant.   Le Sentier transcanadien

Pierre : Bonjour, chers spectateurs, et bienvenue à l'émission *Grands moments canadiens*. Je vous présente aujourd'hui Benoît Paradis et Mia Marcoux. Ces deux élèves ont participé à l'ouverture du Sentier transcanadien l'année passée.

Benoît et Mia : Bonjour, Pierre!

Pierre : Je vais commencer avec toi, Mia. Qu'est-ce que c'est, le Sentier transcanadien?

Mia : Eh bien, le Sentier transcanadien est un sentier récréatif. Il traverse chaque province et chaque territoire du Canada. Il mesure environ 16 100 kilomètres. Nous pensons que c'est le plus long sentier du monde.

Pierre : Qui a eu cette idée?

Mia : Le comité qui a organisé le 125e anniversaire du Canada a eu cette idée. C'est un beau cadeau d'anniversaire, n'est-ce pas? Tous les Canadiens ont aimé l'idée. Plus de 80 % des Canadiens ont appuyé l'idée de construire un sentier transcanadien.

Pierre : Mais pourquoi un sentier?

Benoît : Le sentier a beaucoup d'avantages. Il protège l'environnement, il encourage la forme physique, il favorise le tourisme et il enrichit le pays! Il fait partie de notre histoire!

Pierre : Vraiment? Il fait partie de notre histoire?

Mia : Absolument! Les Canadiens ont bâti beaucoup de sentiers pendant leur histoire. Les premiers Canadiens ont voyagé sur les rivières et dans les forêts. Ce sont les premiers sentiers. Ensuite, à la Confédération, les Canadiens ont bâti un chemin de fer à partir de la Colombie-Britannique jusqu'aux Maritimes. Imagine un train qui traverse les montagnes, les prairies, les provinces centrales et les Maritimes! Après, il y a eu l'autoroute transcanadienne. C'est un autre symbole de notre identité nationale.

Benoît : Et maintenant, nous avons le Sentier transcanadien! C'est un signe que nous voulons préserver la beauté naturelle du Canada pour les Canadiens d'aujourd'hui et de demain.

Pierre : Comment pouvons-nous voyager sur le sentier?

Benoît : Nous pouvons y voyager à pied, en vélo, à cheval, en skis de fond ou en motoneige. Tout dépend de la saison et de la demande!

Pierre : Quand est-ce que le sentier a été complété, Benoît?

Benoît : Le sentier a été complété en septembre 2000.

Pierre : Et qu'est-ce que nous avons fait pour célébrer l'ouverture du sentier?

Benoît : Eh bien, 5 000 bénévoles officiels y ont participé. Entre février et septembre 2000, ils ont voyagé sur les sentiers. Le sentier touche trois océans. Alors les bénévoles sont partis de chaque océan : l'Arctique, le Pacifique et l'Atlantique.

Mia : Et les bénévoles ont transporté une chose précieuse. Ils ont transporté une bouteille d'eau puisée dans chacun des trois océans à Tuktoyaktuk, aux Territoires du Nord-Ouest, à Victoria, en Colombie-Britannique et à Saint-Jean de Terre-Neuve.

Lisons! Test de lecture (suite)

Benoît : Et ils ont apporté leur bouteille d'eau à la destination finale, près d'Ottawa. Il y a eu une cérémonie et l'eau des trois océans a été versée dans une nouvelle fontaine, la Fontaine du Sentier transcanadien.

Journaliste : C'est très symbolique! Vous devez être fiers de votre participation.

Mia et Benoît : Oui! Le voyage a été un défi inoubliable!

Pierre : Eh bien, notre émission est terminée! Merci et bonne route, Mia et Benoît!

B   **Relis le texte et réponds aux questions suivantes en phrases complètes.**

1. Pourquoi est-ce que Pierre fait une entrevue avec Mia et Benoît?

   Pierre fait une entrevue avec eux parce qu'ils ont participé à l'ouverture du Sentier transcanadien l'année passée.

2. Quelle est la longueur du Sentier transcanadien?

   Le Sentier transcanadien mesure environ 16 100 kilomètres.

3. Le sentier est un cadeau d'anniversaire pour le Canada? Pour quel anniversaire?

   Oui, le sentier est un cadeau pour le 125ᵉ anniversaire du Canada.

4. D'après toi, quel est l'avantage le plus important du sentier?

   Answers will vary.

5. Nomme trois autres sentiers importants dans l'histoire du Canada.

   les rivières et les forêts   *le chemin de fer*   *l'autoroute transcanadienne*

6. Quel est l'objectif du Sentier transcanadien?

   Le Sentier transcanadien est pour la récréation, le sport et pour préserver la beauté naturelle.

7. Comment est-ce qu'on peut voyager sur le sentier? Nomme trois moyens de transport.

   à pied   *en vélo*   *à cheval*

8. Qu'est-ce qu'on a transporté à Ottawa pour célébrer l'ouverture du sentier?

   On a transporté une bouteille d'eau puisée dans chacun des trois océans.

9. Trouve dans le texte un synonyme pour les deux mots suivants.

   a) vous devez être *satisfaits* de votre participation = *fiers*

   b) Les Canadiens *ont appuyé* l'idée = *ont aimé*

10. Si tu voyages sur le Sentier transcanadien, quel(s) moyen(s) de transport veux-tu utiliser? Où?

    Answers will vary.

Écrivons! Test d'écriture

Participe au concours *Le défi des transports* et gagne un voyage en montgolfière!

Raconte où tu es allé(e) et nomme les moyens de transport que tu as utilisés.

Utilise :

- **du vocabulaire des moyens de transport et des endroits (au moins cinq moyens différents)**
- **le pronom *y* (deux fois);**
- **des verbes au *passé composé* (cinq verbes différents);**
- **20 à 25 phrases (trois phrases composées avec *et, parce qu(e)* ou *mais*).**

Answers will vary.

Des idées :

Introduction — Paragraphe 1

  1. Comment t'appelles-tu?
  2. Quel âge as-tu?
  3. Où vas-tu à l'école?
  4. En quelle année es-tu à l'école?
  5. Aimes-tu voyager? Pourquoi?

Paragraphe 2

  6. Quels moyens de transport as-tu déjà utilisés?
  7. Où es-tu allé(e)?
  8. Avec qui y es-tu allé(e)?
  9. As-tu déjà traversé une surface d'eau (un océan, une baie, un lac)?
  10. Que penses-tu des moyens de transport en commun? Explique.
  11. Quel moyen de transport as-tu préféré? Pourquoi?

Conclusion — Paragraphe 3

  12. Pourquoi veux-tu gagner ce concours?
  13. Si tu gagnes le concours, où veux-tu aller en montgolfière?

Le passé composé avec *avoir* (révision)

A **Récris les phrases suivantes au *passé composé*.**

Exemple : Des touristes visitent des parcs marins et des lieux historiques.

Des touristes ont visité des parcs marins et des lieux historiques.

1. Est-ce que tu remarques les artefacts dans cette épave?

Est-ce que tu as remarqué les artefacts dans cette épave?

2. Nous réussissons à imaginer toute la bataille.

Nous avons réussi à imaginer toute la bataille.

3. Est-ce que toi et ton ami attendez le guide avant de faire de la plongée?

Est-ce que toi et ton ami avez attendu le guide avant de faire de la plongée?

4. *Le Machault* coule dans la rivière de la Restigouche.

Le Machault a coulé dans la rivière de la Restigouche.

5. Ils n'entendent pas les chansons et les sifflements des bélugas.

Ils n'ont pas entendu les chansons et les sifflements des bélugas.

B **Écris les verbes entre parenthèses au *passé composé*. Attention! Ce sont des verbes irréguliers.**

Exemple : Nous *avons vu* (voir) des baleines dans les eaux du parc.

1. Elle __*a*__ __*pris*__ (prendre) des photos des ours polaires.

2. Ma famille et moi __*avons*__ __*fait*__ (faire) une excursion.

3. Les plongeurs __*ont*__ __*eu*__ (avoir) une expérience inoubliable.

4. Est-ce que tu __*as*__ __*été*__ (être) satisfait(e) de ta visite au musée?

5. Vous n'__*avez*__ pas __*vu*__ (voir) d'artefacts dans cette épave.

Les adjectifs possessifs (révision)

On utilise un adjectif possessif pour montrer une relation de possession.

Comme tous les adjectifs, l'adjectif possessif s'accorde en *genre* (masculin ou féminin) et en *nombre* (singulier ou pluriel) avec le nom qu'il accompagne.

Exemple : Ma famille et moi avons un bateau. (masc. sing.) → C'est notre bateau. (masc. sing.)
Vous avez des photos. (fém. plur.) → Ce sont vos photos. (fém. plur.)

Pronoms personnels	Adjectifs possessifs		
	masculin singulier	féminin singulier	masculin & féminin pluriel
je	mon	ma	mes
tu	ton	ta	tes
il / elle / on	son	sa	ses
nous	notre	notre	nos
vous	votre	votre	vos
ils / elles	leur	leur	leurs

Complète les phrases suivantes avec les bons adjectifs possessifs.

Exemple : La France a un bateau. C'est __son__ (son, sa, ses) bateau.

1. Tu as une photo de l'épave. C'est __ta__ (ton, ta, tes) photo.

2. Les épaves ont une histoire intéressante. C'est __leur__ (leur, leurs) histoire.

3. J'ai des souvenirs de voyage. Ce sont __mes__ (mon, ma, mes) souvenirs.

4. Nous faisons une excursion en bateau. C'est __notre__ (notre, nos) excursion.

5. Le capitaine a une carte. C'est __sa__ (son, sa, ses) carte.

6. Toi et ton ami avez des bottes. Ce sont __vos__ (votre, vos) bottes.

7. Les bélugas font des sifflements. Ce sont __leurs__ (leur, leurs) sifflements.

8. Vous apportez de la nourriture pour l'expédition. C'est __votre__ (votre, vos) nourriture.

9. Le musée a des artefacts. Ce sont __ses__ (son, sa, ses) artefacts.

10. Nous avons des parcs marins magnifiques. Ce sont __nos__ (notre, nos) parcs marins.

Le passé composé avec *être* (révision)

A **Regarde bien les phrases suivantes et fais l'*accord du participe passé*, si nécessaire.**

Exemple : Les filles sont allé_*es* au parc pour faire de la plongée sous-marine.

1. Les bélugas sont venu_*s* près de la côte.

2. Le bateau n'est jamais arrivé__ en Nouvelle-France.

3. Les deux amies sont parti_*es* du lieu historique avec de bons souvenirs.

4. Les deux archéologues sont descendu_*s* à l'épave.

5. Mes amis et moi sommes sorti_*s* de l'eau après la plongée.

B **Choisis un début de phrase de la colonne A et la bonne fin de phrase de la colonne B pour faire des phrases complètes.**

Exemple : *Après une journée en plein air, les visiteurs sont rentrés très fatigués.*

Colonne A	Colonne B
1. Pour respirer, les baleines	a) sont rentrés très fatigués.
2. Accompagné d'un guide, le plongeur	b) sont restés au soleil tout l'après-midi.
3. Les ours polaires	c) est retournée au parc pour faire une autre expédition.
4. La jeune fille	d) sont montées à la surface de l'océan.
5. Le touriste	e) est descendu à l'épave pour l'explorer.
6. Après une journée en plein air, les visiteurs	f) est parti avec des souvenirs inoubliables.

Pour respirer, les baleines sont montées à la surface de l'océan.

Accompagné d'un guide, le plongeur est descendu à l'épave pour l'explorer.

Les ours polaires sont restés au soleil tout l'après-midi.

La jeune fille est retournée au parc pour faire une autre expédition.

Le touriste est parti avec des souvenirs inoubliables.

Les adjectifs qualificatifs réguliers et irréguliers (révision)

L'adjectif s'accorde toujours en *genre* (masculin ou féminin) et en *nombre* (singulier ou pluriel) avec le nom.

Exemples : Je regarde un artefact fascinant. (masc. sing.)
Il trouve une épave fascinante. (fém. sing.)
Je regarde des artefacts fascinants. (masc. plur.)
Il trouve des épaves fascinantes. (fém. plur.)

Il y a plusieurs adjectifs irréguliers en français. Pour trouver la bonne forme féminine d'un adjectif irrégulier, il faut chercher dans un dictionnaire.

Écris la bonne forme de l'adjectif entre parenthèses. Décide si l'adjectif est placé avant ou après le nom. Attention à l'accord de l'adjectif!

Exemple : Les plongeurs trouvent de très ___*beaux*___ artefacts _____
dans l'épave. (beau)

1. Les plongeurs ont visité une ___*grande*___ épave _____. (grand)

2. Le guide du musée a une _____ histoire ___*intéressante*___. (intéressant)

3. Nous admirons la _____ mer ___*bleue*___. (bleu)

4. Les bélugas sont des _____ mammifères ___*fascinants*___. (fascinant)

5. On peut voir de ___*petits*___ poissons _____ quand on descend sous la surface de l'eau. (petit)

6. La plongée sous-marine est un _____ sport ___*passionnant*___. (passionnant)

7. *Fathom Five* et les îles *Broken Group* sont des _____ parcs ___*naturels*___. (naturel)

8. De ___*gros*___ bateaux _____ voyagent sur la baie. (gros)

9. Nous faisons une ___*longue*___ excursion _____. (long)

10. Les _____ baleines ___*actives*___ sautent à la surface de l'océan. (actif)

Le comparatif et le superlatif des adjectifs (révision)

A Choisis *plus... que, moins... que* ou *aussi... que* pour faire des phrases avec le *comparatif*. Fais attention à l'accord de l'adjectif!

> **Exemple :** La baleine est _____ _____ que le poisson. (lourd)
>
> La baleine est __*plus*__ __*lourde*__ que le poisson.

1. *Le Machault* est __*moins*__ __*grand*__ que le Titanic. (grand)

2. Marie-Josée est __*moins*__ __*attentive*__ que Luz. (attentif)

3. L'océan est __*plus*__ __*vaste*__ qu'un lac. (vaste)

4. Une rivière est __*moins*__ __*profonde*__ que la mer. (profond)

5. Les matelots sont __*plus*__ __*courageux*__ que les pirates. (courageux)

B Récris les phrases suivantes pour faire une phrase avec le *superlatif*.

> **Exemple :** C'est une histoire intéressante. (plus)
>
> *C'est l'histoire la plus intéressante.*

1. Nous sommes des plongeurs enthousiastes. (plus)

   Nous sommes les plongeurs les plus enthousiastes.

2. J'ai pris une belle photo de la vie marine. (plus)

   J'ai pris la plus belle photo de la vie marine.

3. C'est une excursion dangereuse. (moins)

   C'est l'excursion la moins dangereuse.

4. Luz est une plongeuse attentive. (plus)

   Luz est la plongeuse la plus attentive.

5. Nous avons acheté l'équipement cher. (moins)

   Nous avons acheté l'équipement le moins cher.

L'accord du verbe avec un sujet composé (révision)

▨ La forme du verbe correspond au **nombre** du sujet (singulier ou pluriel).

▨ Le sujet peut être **un pronom**. Le pronom remplace : une personne ou des personnes; un animal ou des animaux; une chose ou des choses.

Les pronoms sujets

moi = je
toi = tu
le groupe = il
Marie-Josée = elle
mes ami(e)s et moi = nous
tes ami(e)s et toi = vous
le groupe et le guide = ils
Marie-Josée et Luz = elles

Complète chaque phrase avec la bonne forme du verbe au présent. Fais attention au sujet de la phrase!

Exemple : Au site de plongée, moi et Luc (poser) _____ beaucoup de questions.

Au site de plongée moi et Luc __*posons*__ beaucoup de questions.

1. Luz et Marie-Josée (faire) ___*font*___ de la plongée sous-marine.

2. Moi et mes amis (aimer) ___*aimons*___ sauter dans l'eau à mon chalet.

3. Toi et le guide de plongée (partir) ___*partez*___ à 8 heures.

4. Marie-Josée et Luz (prendre) ___*prennent*___ des photos de la vie marine.

5. Moi et mon frère (explorer) ___*explorons*___ l'épave ensemble.

6. Est-ce que vous et les touristes (vouloir) ___*voulez*___ visiter tous les parcs?

7. Je ne sais pas si toi et moi (pouvoir) ___*pouvons*___ voyager ensemble.

8. Les plongeurs et les nageurs (voyager) ___*voyagent*___ à l'île dans le même bateau.

9. Le guide et nous (visiter) ___*visitons*___ le site cet après-midi.

10. Sara et Benjamin (nager) ___*nagent*___ dans le lac.

Les mots de la même famille

Remplis le tableau suivant avec des mots de la même famille.

Exemple :

nom	verbe	adjectif	adverbe
la navigation	naviguer	navigué(e)	

	nom	verbe	adjectif	adverbe
1.	la plongée	plonger	plongé(e)	
2.	un / une ami(e)		amical(e)	amicalement
3.	la patience	patienter	patient(e)	patiemment
4.	une attention	attendre	attentif / attentive	attentivement
5.	un écrivain	écrire	écrit(e)	
6.	un examen	examiner	examiné(e)	
7.	la rapidité		rapide	rapidement
8.	le danger		dangereux / dangereuse	dangereusement
9.		compléter	complété(e)	complètement
10.	un doute	douter	douteux / douteuse	
11.	la chaleur		chaleureux / chaleureuse	chaleureusement
12.	la faiblesse	affaiblir	faible	faiblement
13.	une absence	s'absenter	absent(e)	
14.	le commencement	commencer	commencé(e)	
15.	le malheur		malheureux / malheureuse	malheureusement

L'orthographe des accents

Complète les mots suivants. Il y a 50 e (sans accent), é, è et ê qui manquent.

> **Attention aux pièges :** **la côte — à côté de**
>
> **la glace — de l'eau glacée**
>
> **révéler — je révèle, tu révèles, il révèle, ils révèlent**

Comment est-ce que nous pouvons d_é_couvrir la vie sous-marine myst_é_rieuse?

Eh bien, nous pouvons lir_e_ des livres ou regarder des documentaires à la t_é_l_é_vision. Mais il est encore plus int_é_ressant d'explorer nous-m_ê_mes les fonds marins secrets! Nous pouvons visiter des parcs marins et des lieux historiques au Canada. Ces parcs vont nous r_é_v_é_ler les merveilles de l'oc_é_an.

Dans le parc des îles *Broken Group* sur la côt_e_ ouest de l'île de Vancouver, nous pouvons prendre un bateau d'excursion pour obs_e_rver des baleines. Les baleines mont_e_nt à la surface de l'eau à côt_é_ du bateau pour respirer!

Au parc Wapusk, nous pouvons voir des ours polaires sur la glac_e_ de la baie d'Hudson. Ils plongent aussi dans l'eau glac_é_e de la baie pour trouver leur nourriture. Il y a aussi des troupeaux de b_é_lugas. Ces animaux sociabl_e_s viennent pr_è_s de la côt_e_. Ils chantent et ils sifflent.

Pour explorer les _é_cosyst_è_mes dans l'eau et pour voir les r_é_cifs et les _é_paves des bateaux naufrag_é_s, nous pouvons faire de la plong_é_e sous-marine. Au parc *Fathom Five*, il y a 22 _é_paves que nous pouvons _e_xplorer. L'ext_é_rieur de chaque _é_pave offre un _é_cosyst_è_me magnifique de plantes et d'animaux. Quelques _é_paves sont situées à 200 m_è_tres de profondeur.

À l'int_é_rieur des _é_paves, nous pouvons visiter les salles et voir des artefacts. Ces sites sont des capsules historiques. Ils r_é_v_è_lent l'histoire tragique d'un moment pr_é_cis dans le pass_é_.

Quelquefois, les arch_é_ologues-plongeurs montent les artefacts à la surface et les mettent dans des mus_é_es. Au lieu historique de la Bataille-de-la-Restigouche, nous pouvons voir des artefacts du bateau c_é_l_è_bre *Le Machault*. Ce bateau français est venu au Canada au XVIIIe si_è_cle pour d_é_fendre la Nouvelle-France. Il a coulé dans la rivi_è_re Restigouche. On peut voir des canons, de la vaisselle et des v_ê_tements dans le mus_é_e.

Veux-tu prendre des leçons de plong_é_e avec moi?

Écoutons! Test de compréhension orale

A **Écoute les descriptions. Associe chaque description aux images suivantes.**

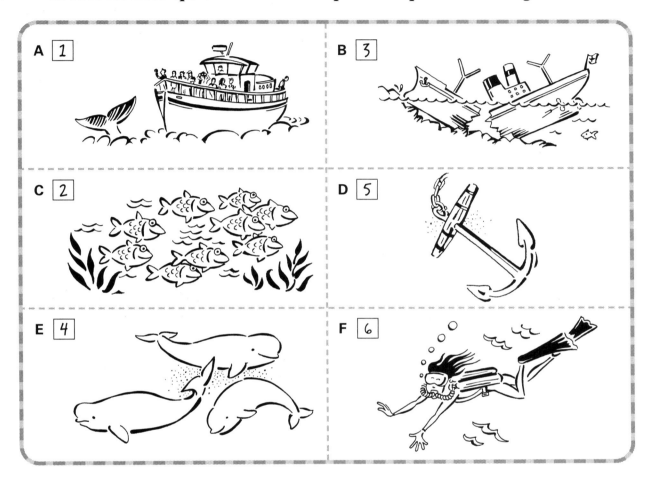

B **Écoute la présentation de Monique et Martine et réponds aux questions suivantes.**

1. Monique et Martine sont allées au parc national…

   a) *Pacific Rim.*

   b) *Fathom Five.*

   c) Wapusk.

2. Dans ce parc, il est possible d'explorer…

   a) 20 épaves.

   b) 15 épaves.

   c) 30 épaves.

3. En 1885, le bateau *Sweepstakes* a coulé…

   a) à Burlington.

   b) à Tobermory.

   c) à Kingston.

4. L'épave du *Sweepstakes* se trouve à une profondeur de…

   a) 5 mètres.

   b) 10 mètres.

   c) 6 mètres.

Écoutons! Test de compréhension orale (suite)

5. L'épave du *Sweepstakes* est populaire chez les plongeurs parce que...

   a) les artefacts y sont nombreux.

   b) l'eau n'y est pas froide.

   (c) l'eau n'y est pas profonde.

6. Les filles n'ont pas exploré l'intérieur du *Sweepstakes* parce que...

   (a) c'est interdit.

   b) l'eau est trop froide.

   c) le temps est limité.

7. Le bateau *City of Grand Rapids* a transporté...

   a) des marchandises.

   (b) des passagers.

   c) du pétrole.

8. Ce bateau a coulé en 1907 à cause...

   (a) d'un feu.

   b) d'un rocher.

   c) d'une tempête.

9. *Le W.L. Wetmore* et le *James C. King* ont coulé dans une tempête en...

   (a) 1901.

   b) 1903.

   c) 1907.

10. Quand les filles ont visité les deux dernières épaves, elles ont vu...

   a) un coffre.

   (b) un gouvernail.

   c) un canon.

Parlons! Test de communication / production orale

Voici des fiches d'information sur des naufrages. Pose 5 à 10 questions à ton ou ta partenaire. Ensuite, changez de rôle.   *Answers will vary.*

Le nom de l'épave : *le Bluenose*
L'endroit où se trouve l'épave : au large de Haïti
La date du naufrage : le 28 janvier 1946
L'histoire du naufrage : Le bateau a coulé sur un récif.
Caractéristique(s) unique(s) : C'est le bateau canadien le plus célèbre. On le voit sur la pièce de 10 cents depuis 1937.

Le nom de l'épave : *le Edmund Fitzgerald*
L'endroit où se trouve l'épave : le lac Supérieur
La date du naufrage : le 10 novembre 1975
L'histoire du naufrage : Le bateau a coulé dans une tempête violente. Il y a eu des vagues de 30 mètres de hauteur. Les 29 marins sont morts.
Caractéristique(s) unique(s) : Les marins disent que la «malédiction du onzième mois» a causé le naufrage.

Le nom de l'épave : *le John B. King*
L'endroit où se trouve l'épave : dans le fleuve St-Laurent
La date du naufrage : le 26 juin 1930
L'histoire du naufrage : Un coup de foudre a frappé le bateau et il a explosé. 30 personnes sont mortes et 11 personnes ont été blessées.
Caractéristique(s) unique(s) : Le bateau a transporté de la dynamite.

Le nom de l'épave : *l'Empress of Ireland*
L'endroit où se trouve l'épave : au large de Rimouski dans le fleuve St-Laurent.
La date du naufrage : le 29 mai 1914
L'histoire du naufrage : Le bateau est entré en collision avec un bateau norvégien à cause du brouillard. 1 024 passagers sont morts.
Caractéristique(s) unique(s) : Le bateau a coulé en 14 minutes.

Le nom de l'épave : *l'Idaho*
L'endroit où se trouve l'épave : dans la baie Long Point du lac Érié
La date du naufrage : le 6 novembre 1897
L'histoire du naufrage : Tous les marins sont morts à l'exception de deux. Ils ont grimpé le mât du bateau.
Caractéristique(s) unique(s) : Ce bateau a transporté des jouets de Noël.

Le nom de l'épave : *le Princess Sophia*
L'endroit où se trouve l'épave : au large de la Colombie-Britannique
La date du naufrage : le 23 octobre 1918
L'histoire du naufrage : Le bateau a coulé sur un récif. Plus de 350 personnes sont mortes.
Caractéristique(s) unique(s) : Le bateau a transporté des mineurs du Yukon et de l'Alaska.

Lisons! Test de lecture

A **Lis le texte suivant.**

Jacques-Yves Cousteau

Jacques-Yves Cousteau est un des Français les plus célèbres du monde! Il a été marin, inventeur, explorateur, océanographe, cinéaste et écologiste. Grâce à Jacques-Yves Cousteau, le monde connaît un peu plus la vie des océans.

Cousteau est né le 11 juin 1910 près de Bordeaux, en France. Il a eu trois passions dans la vie : les voyages, la mer et le cinéma. Ces trois passions ont guidé sa carrière et ont influencé ses succès.

À 25 ans, il a essayé des lunettes sous-marines pour la première fois, au bord de la mer Méditerranée. C'est à ce moment-là qu'il est tombé amoureux de la vie sous-marine. Après, il a passé beaucoup de temps à explorer et à filmer les épaves de bateaux et les magnifiques fonds marins de la Méditerranée.

À cette époque, la plongée sous-marine n'était pas facile parce que les plongeurs ne pouvaient pas être indépendants. Ils étaient reliés à la surface par un tuyau d'air. Jacques-Yves a réfléchi longuement à ce problème. Enfin, en 1943, il a inventé le *Aqua-Lung,* ou le «poumon aquatique», avec un autre plongeur. Maintenant, le plongeur peut être indépendant. Il ou elle peut plonger dans des eaux plus profondes. En 1947, il a réussi à plonger à 100 mètres sous la surface de l'eau. C'est un record!

C'est aussi le début de sa passion pour l'océanographie. En 1950, Jacques-Yves est devenu le commandant d'un bateau, le *Calypso.* Ce bateau est maintenant aussi célèbre que Cousteau! Sur ce bateau, il a organisé des expéditions scientifiques et cinématographiques. Il a invité des géologues, des biologistes, des archéologues et des écologistes sur son bateau et cette équipe a révélé les secrets de l'océan au grand public. Cinquante livres, deux encyclopédies, plusieurs films et des centaines de documentaires pour la télévision sont le résultat de ses recherches.

Les voyages et les explorations de Jacques-Yves Cousteau ont eu un autre effet. Jacques-Yves a filmé la beauté naturelle de la vie sous-marine, mais il a également filmé les dangers posés par les activités humaines sur les écosystèmes marins et sur la Terre en général. Il a créé l'Équipe Cousteau. Ce groupe travaille aujourd'hui pour la sauvegarde de la planète. Il a parlé de protection de l'environnement pour les générations futures et il a lancé une pétition au Sommet de la Terre de Rio, au Brésil en 1992. Cinq millions de personnes ont signé sa pétition et les médias l'ont surnommé *Captain Planet*!

Jacques-Yves Cousteau est mort le 25 juin 1997 à l'âge de quatre-vingt-sept ans. Le travail de Jacques-Yves a été très important pour la conscience environnementale de la planète. C'est certainement sa plus grande contribution.

Lisons! Test de lecture (suite)

B   Dans le texte, trouve un mot de la même famille que les mots suivants.

1. le cinéma _____*cinéaste*_____   2. marin _____*mer, sous-marin*_____

3. explorer _____*explorateur*_____   4. long _____*longuement*_____

5. un écologiste _____*écosystèmes*_____

C   Relis le texte et réponds aux questions suivantes en phrases complètes.

1. Quelles passions ont guidé la carrière de Jacques-Yves Cousteau?

   Les voyages, la mer et le cinéma ont guidé la carrière de Jacques-Yves Cousteau.

2. Où est-ce que Jacques-Yves a fait de la plongée pour la première fois?

   Jacques-Yves a fait de la plongée pour la première fois au bord de la mer Méditerranée.

3. Quels types d'expédition est-ce que Jacques-Yves a faits sur le *Calypso*?

   Jacques-Yves a fait des expéditions scientifiques et cinématographiques sur le Calypso.

4. Comment est-ce que Jacques-Yves a révélé les secrets de l'océan au grand public?

   Il a invité des géologues, des biologistes, des archéologues et des écologistes sur son bateau et cette équipe a révélé les secrets de l'océan au grand public. Il a écrit plusieurs livres et a tourné plusieurs films documentaires.

5. Quel est l'objectif de l'Équipe Cousteau?

   L'objectif de l'Équipe Cousteau est de sauvegarder la planète et de protéger l'environnement pour les générations futures.

Écrivons! Test d'écriture

Voici une fiche d'information pour un naufrage célèbre. Imagine que tu as été un passager sur ce bateau. Écris une lettre d'au moins 20 phrases à un(e) ami(e). Dans ta lettre :

▩ Explique les circonstances du voyage. (Pourquoi as-tu voyagé sur ce bateau? Quand est-ce que le bateau est parti? D'où? Qu'est-ce que le bateau a transporté?)

▩ Décris le naufrage. (Quand est-ce que les problèmes ont commencé? Quels sont les dangers? Qu'est-ce qui est arrivé?)

▩ Décris les efforts de sauvetage. (Est-ce que le capitaine a envoyé un message de détresse? Est-ce que les passagers ont utilisé des canots de sauvetage? Est-ce que d'autres bateaux sont venus pour sauver les passagers et les marins? Quand est-ce que tu as été sauvé(e)? Est-ce qu'il y a eu des morts? des survivants?)

▩ Décris le bateau naufragé. (Est-ce qu'on a trouvé le bateau? Où? Est-ce qu'il y a des artefacts?)

▩ Utilise le *passé composé* avec *avoir* et *être*. (aller, partir, arriver, rester, mourir)

▩ Écris des phrases *comparatives* et *superlatives*.

Answers will vary.

Le nom de l'épave :	*Le Edmund Fitzgerald*
L'endroit où se trouve l'épave :	▩ dans le lac Supérieur
	▩ On n'a pas trouvé l'épave du bateau naufragé.
La date du naufrage :	▩ le 10 novembre 1975
L'histoire du naufrage :	▩ Le bateau est parti de l'état du Wisconsin aux États-Unis.
	▩ La destination du bateau était Whitefish Bay.
	▩ Il y a eu une tempête violente.
	▩ Il y a eu des vagues de 30 mètres de hauteur.
	▩ 29 marins sont morts mais on n'a pas retrouvé les corps.
Les caractéristiques uniques du bateau :	▩ Il transportait 26 000 tonnes de minerai de fer.
	▩ C'était le plus gros transporteur sur les Grands Lacs.
	▩ Gordon Lightfoot, un chanteur canadien, a écrit une chanson appelée *The Wreck of the Edmund Fitzgerald*.
	▩ Les marins des Grands Lacs disent que ce naufrage représente la «malédiction du onzième mois».

Le passé composé avec *avoir* (révision)

Complète les phrases suivantes avec la bonne forme du verbe au *passé composé* avec l'auxiliaire *avoir*. Attention aux participes passés réguliers et irréguliers!

Exemple : Nous _____ _____ (faire) des projets de bénévolat à notre école.

Nous _avons_ _fait_ des projets de bénévolat à notre école.

1. Est-ce que vous _avez_ _proposé_ (proposer) tous ces projets de bénévolat?

2. Mes amis et moi _avons_ _rendu_ (rendre) visite à des personnes âgées dans une résidence.

3. Aubyn _a_ _préparé_ (préparer) des affiches pour faire de la publicité pour sa campagne «Valises pour les jeunes».

4. Craig Kielburger _a_ _lutté_ (lutter) contre l'exploitation des enfants en Asie.

5. Les élèves du Ranch Ehrlo _ont_ _équipé_ (équiper) 1 400 joueurs de hockey.

6. Ces jeunes _ont_ _eu_ (avoir) l'idée de nettoyer un parc près de l'école.

7. Est-ce que tu _as_ _choisi_ (choisir) un projet qui t'intéresse?

8. Le professeur _a_ _été_ (être) surpris des suggestions de ces élèves.

9. Les gens dans notre communauté _ont_ _apprécié_ (apprécier) nos efforts.

10. Après notre discussion en classe, j'_ai_ _vu_ (voir) beaucoup d'exemples de services communautaires autour de moi.

11. Aubyn _a_ _commencé_ (commencer) une campagne pour aider les enfants placés dans des familles d'accueil.

12. Les élèves _ont_ _décidé_ (décider) de faire une collecte d'équipement de hockey usagé.

13. Craig _a_ _créé_ (créer) l'organisation «Libérez les enfants!»

14. Nous _avons_ _lu_ (lire) un article sur l'importance du bénévolat.

15. Notre professeur _a_ _été_ (être) satisfait des résultats de notre campagne.

Le futur proche (révision)

Récris les phrases suivantes au *futur proche*. Réfère-toi à la section de *Références* aux pages 161–162 de ton livre. Attention aux infinitifs des verbes réguliers et irréguliers!

Exemple : Qui *fait* ce projet?

Qui <u>va</u> <u>faire</u> ce projet?

1. Nous *choisissons* un projet de service communautaire.

   <u>Nous allons choisir un projet de service communautaire.</u>

2. Ce groupe *bâtit* des maisons pour des personnes défavorisées.

   <u>Ce groupe va bâtir des maisons pour des personnes défavorisées.</u>

3. Ces jeunes *aident* des enfants à lire des livres.

   <u>Ces jeunes vont aider des enfants à lire des livres.</u>

4. Je *rends* visite aux personnes âgées.

   <u>Je vais rendre visite aux personnes âgées.</u>

5. Est-ce que tu *participes* au téléthon?

   <u>Est-ce que tu vas participer au téléthon?</u>

6. Vous *faites* une collecte de jouets usagés pour le centre communautaire.

   <u>Vous allez faire une collecte de jouets usagés pour le centre communautaire.</u>

7. Nous *nettoyons* la cour de l'école.

   <u>Nous allons nettoyer la cour de l'école.</u>

8. Ce soir tu *restes* après l'école pour préparer des affiches.

   <u>Ce soir tu vas rester après l'école pour préparer des affiches.</u>

9. Qui *parle* de notre projet pendant la réunion?

   <u>Qui va parler de notre projet pendant la réunion?</u>

10. Les jeunes *vont* à la réunion des bénévoles.

    <u>Les jeunes vont aller à la réunion des bénévoles.</u>

Le passé composé avec *être* (révision)

Complète les phrases suivantes avec la bonne forme du verbe au *passé composé* avec l'auxiliaire *être*. Attention à l'accord du participe passé avec le sujet!

Exemple : Les bénévoles _____ _____ (arriver) à 9 heures ce matin.
Les bénévoles _*sont*_ _*arrivé(e)s*_ à 9 heures ce matin.

1. Marie-France et Marc _*sont*_ _*allés*_ (aller) à la résidence de personnes âgées.

2. Qui _*est*_ _*resté*_ (rester) après notre réunion pour ranger la salle?

3. Nous _*sommes*_ _*retourné(e)s*_ (retourner) au parc pour célébrer le succès de notre projet.

4. Elles _*sont*_ _*descendues*_ (descendre) au centre-ville pour travailler à la banque alimentaire.

5. Je _*suis*_ _*venu(e)*_ (venir) ici pour offrir mon aide.

6. Brian _*est*_ _*parti*_ (partir) au Guatemala avec un groupe de bénévoles.

7. Tous les bénévoles _*sont*_ _*revenus*_ (revenir) pour continuer le travail au site de construction.

8. _*Êtes*_-vous _*sorti(e)s*_ (sortir) avec le groupe pour nettoyer le parc?

9. Quand tu _*es*_ _*arrivé(e)*_ (arriver) à la garderie, les enfants ont souri.

10. Nous _*sommes*_ _*monté(e)s*_ (monter) au 4e étage de l'hôpital pour rendre visite aux enfants malades.

11. Les filles _*sont*_ _*allées*_ (aller) mettre des affiches à l'épicerie.

12. Les enfants _*sont*_ _*placés*_ (placer) dans des familles d'accueil en raison de problèmes dans leurs familles.

13. La campagne d'Aubyn _*est*_ _*devenue*_ (devenir) une campagne nationale.

14. Vous _*êtes*_ _*parti(e)s*_ (partir) en Asie pour découvrir les conditions de travail des enfants.

15. Nous _*sommes*_ _*retourné(e)s*_ (retourner) au centre communautaire.

Vouloir, pouvoir ou devoir (révision)

Complète les phrases suivantes avec la bonne forme du verbe *vouloir, pouvoir* ou *devoir* au présent. Réfère-toi à la section de *Références* aux pages 167–171 de ton livre.

Exemple : Tu _____ (devoir) penser à un projet original.

Tu __*dois*__ penser à un projet original.

1. Je __*peux*__ (pouvoir) faire du bénévolat le samedi après ma séance d'entraînement.

2. __*Veux*__ (vouloir) -tu m'aider à distribuer ces livres usagés?

3. Vous __*devez*__ (devoir) demander la permission avant d'amener votre chien.

4. Mon ami et moi __*voulons*__ (vouloir) participer au projet de lecture.

5. On __*peut*__ (pouvoir) participer à la campagne de lettres.

6. Chantal et Lisette __*doivent*__ (devoir) terminer leur projet aujourd'hui.

7. Je __*veux*__ (vouloir) aider les gens dans une banque alimentaire.

8. Est-ce que vous __*pouvez*__ (pouvoir) faire de la publicité pour le club écolo?

9. Pour réussir, nous __*devons*__ (devoir) développer un bon esprit d'équipe.

10. Sophie et Charles __*veulent*__ (vouloir) venir à une réunion de notre club.

11. __*Voulez*__-vous (vouloir) venir avec moi à la résidence de personnes âgées?

12. Les élèves __*doivent*__ (devoir) signer cette pétition.

13. __*Peux*__-tu (pouvoir) t'occuper de ce projet?

14. Nous __*voulons*__ (vouloir) faire une collecte de vêtements usagés.

15. Je __*peux*__ (pouvoir) venir à la réunion du comité de recyclage après l'école.

Le pronom *en* (révision)

Réponds aux questions à l'*affirmatif* ou au *négatif*. Remplace les mots en italique par le pronom *en*. Attention à la place du pronom dans la phrase!

Exemple : Est-ce que Craig a parlé *de son projet* à l'école?

*Oui, il **en** a parlé à l'école.*

1. Est-ce que tu as beaucoup *de devoirs, d'examens et de sorties*?

   Oui, *j'en ai beaucoup.* _____

2. Est-ce que tes camarades de classe et toi avez fait *du bénévolat*?

   Oui, *nous en avons fait.* _____

3. Est-ce que tu fais *des choses positives* dans ta communauté?

   Oui, *j'en fais dans ma communauté.* _____

4. Est-ce que ces enfants vont avoir *des valises pour déménager*?

   Non, *ces enfants ne vont pas en avoir.* _____

5. Est-ce qu'Aubyn veut faire *de la publicité* pour sa campagne?

   Oui, *Aubyn veut en faire pour sa campagne.* _____

6. Est-ce que Craig a observé *des conditions de travail abominables* en Asie?

   Oui, *Craig en a observé en Asie.* _____

7. Est-ce que ces jeunes ont eu *de la chance*?

   Non, *ces jeunes n'en ont pas eu.* _____

8. Est-ce que les personnes défavorisées ont besoin *de notre aide*?

   Oui, *les personnes défavorisées en ont besoin.* _____

9. Est-ce que les élèves du Ranch Ehrlo ont distribué 3 500 paires *de patins*?

   Oui, *les élèves du Ranch Ehrlo en ont distribué 3 500 paires.*

10. Est-ce que nous avons assez *d'argent* pour notre projet?

    Non, *nous n'en avons pas assez pour notre projet.* _____

Les adjectifs démonstratifs (révision)

Réponds aux questions suivantes. Utilise le bon adjectif démonstratif *ce, cet, cette* ou *ces*.

Exemple : Quelle pétition est-ce que tu vas signer?

Je vais signer cette pétition.

1. Quelle organisation lutte contre l'exploitation des enfants en Asie?

   Cette organisation lutte contre l'exploitation des enfants en Asie.

2. Quel chef d'entreprise va contribuer des fonds à notre projet?

   Ce chef d'entreprise va contribuer des fonds à notre projet.

3. Quel événement allons-nous organiser?

   Nous allons organiser cet événement.

4. Quelles tablettes de chocolat est-ce que nous allons vendre?

   Nous allons vendre ces tablettes de chocolat.

5. Quelles équipes vont recevoir de l'équipement?

   Ces équipes vont recevoir de l'équipement.

6. Quel bénévole va visiter les enfants à l'hôpital?

   Ce bénévole va visiter les enfants à l'hôpital.

7. Quelle communauté a un bon esprit d'équipe?

   Cette communauté a un bon esprit d'équipe.

8. Quelles familles d'accueil allez-vous rencontrer?

   Nous allons rencontrer ces familles d'accueil.

9. Quel club travaille pour la protection des animaux?

   Ce club travaille pour la protection des animaux.

10. Quelle réunion va traiter de l'environnement?

    Cette réunion va traiter de l'environnement.

Le pronom *y* (révision)

Réponds aux questions à l'*affirmatif* et au *négatif*. Remplace les mots en italique par le pronom *y*. Attention à la place du pronom dans la phrase!

Exemple : Est-ce que Craig a observé l'exploitation des enfants *en Asie*?

Oui, il y a observé l'exploitation des enfants.

1. Est-ce que tu vas aller *à la résidence de personnes âgées* cet après-midi?

Oui, *je vais y aller cet après-midi.*

2. Est-ce qu'elle a parlé de son idée *à la réunion*?

Non, *elle n'y a pas parlé de son idée.*

3. Est-ce qu'Aubyn a commencé sa campagne *dans sa communauté*?

Oui, *Aubyn y a commencé sa campagne.*

4. Est-ce que tes amis et toi faites du bénévolat *dans une banque alimentaire*?

Oui, *mes amis et moi y faisons du bénévolat.*

5. Est-ce qu'on va apporter des sacs de poubelle en plastique *au parc*?

Oui, *on va y apporter des sacs de poubelle en plastique.*

6. Est-ce que Véronique est allée *à l'hôtel de ville*?

Oui, *Véronique y est allée.*

7. Est-ce que tu vas participer *à cette campagne*?

Non, *je ne vais pas y participer.*

8. Est-ce que les jeunes jouent au hockey *à l'aréna près de leur école*?

Non, *les jeunes n'y jouent pas au hockey.*

9. Est-ce que ce projet est un succès annuel *en Saskatchewan*?

Oui, *ce projet y est un succès annuel.*

10. Est-ce qu'elle a mis des affiches *à l'épicerie*?

Oui, *elle y a mis des affiches.*

Partir et sortir (révision)

Compose dix phrases. Utilise un élément de chaque colonne une seule fois.
Attention! Le verbe doit s'accorder avec le sujet et la phrase doit être logique!
Answers will vary.

Sujet	Verbe	Complément
Les élèves du Ranch Ehrlo	sortez	ce samedi pour nettoyer le parc.
On	sors	avec des amis pour participer à l'événement.
Vous	partent	pour l'aréna.
Je	sortent	pour l'Asie.
Charline	partez	avec le groupe de bénévoles.
Nous	sort	pour la réunion.
Tu	part	cet après-midi pour faire de la publicité.
Vous	part	ce soir pour écouter le discours.
Aubyn et sa sœur	sort	pour faire un reportage.
Craig	sortons	de l'école à 4 h 30.
On	pars	après l'école pour faire une collecte.

Exemple : *On sort ce soir pour écouter le discours.*

1. *Les élèves du Ranch Ehrlo partent pour l'aréna.*

2. *On sort après l'école pour faire une collecte.*

3. *Vous sortez ce samedi pour nettoyer le parc.*

4. *Je sors avec des amis pour participer à l'événement.*

5. *Charline part avec le groupe de bénévoles.*

6. *Nous sortons pour faire un reportage.*

7. *Tu pars pour la réunion.*

8. *Vous partez de l'école à 4 h 30.*

9. *Aubyn et sa sœur sortent cet après-midi pour faire de la publicité.*

10. *Craig part pour l'Asie.*

Le partitif et la négation (révision)

Mets les phrases suivantes au *négatif*. N'oublie pas de changer *du*, *de la*, *de l'*, *un*, *une*, *des*, en *de* ou *d'*.

Exemple : Ces élèves ont *de la* chance.
Ces élèves n'ont pas de chance.

1. On doit avoir *de l'*argent pour être bénévole.

   On ne doit pas avoir d'argent pour être bénévole.

2. Aubyn met *des* affiches dans le parc.

   Aubyn ne met pas d'affiches dans le parc.

3. Véronique et ses amis ont fait *du* bénévolat pendant les heures de classe.

   Véronique et ses amis n'ont pas fait de bénévolat pendant les heures de classe.

4. Craig a eu *de la* difficulté à trouver des gens intéressés.

   Craig n'a pas eu de difficulté à trouver des gens intéressés.

5. Les élèves peuvent demander *de l'*aide pour leurs projets.

   Les élèves ne peuvent pas demander d'aide pour leurs projets.

6. Les jeunes apportent *du* plastique dans le parc.

   Les jeunes n'apportent pas de plastique dans le parc.

7. Les jeunes ont présenté *une* pétition à leur professeur.

   Les jeunes n'ont pas présenté de pétition à leur professeur.

8. On peut trouver *des* bouteilles vides au supermarché.

   On ne peut pas trouver de bouteilles vides au supermarché.

9. Ils ont ramassé *des* fonds pour un voyage personnel.

   Ils n'ont pas ramassé de fonds pour un voyage personnel.

10. Les enfants ont *de l'*équipement de hockey.

    Les enfants n'ont pas d'équipement de hockey.

L'impératif (révision)

Complète les phrases suivantes avec la bonne forme de l'*impératif*.

Exemple : Louis, __va__ parler à la directrice! (va, allons, allez)

1. Je suis très fière de vous! Ne __perdez__ pas votre enthousiasme! (perds, perdons, perdez)

2. Les amis, __allons__ à l'hôtel de ville pour expliquer notre projet! (va, allons, allez)

3. Monsieur, __signez__ notre pétition, s'il vous plaît! (signe, signons, signez)

4. __Finis__ tes devoirs, Adam! La campagne de nettoyage commence demain. (Finis, Finissons, Finissez)

5. Catia et Tessa, __faites__ une collecte de bouteilles vides! (fais, faisons, faites)

6. Maurice, __encourage__ les membres de ton équipe! (encourage, encourageons, encouragez)

7. Les amis, __rendez__ visite aux personnes âgées! Elles sont souvent seules. (rends, rendons, rendez)

8. Nous devons penser à un projet… __Faisons__ une collecte de manteaux usagés! (Fais, Faisons, Faites)

9. Danielle, __écris__ une lettre d'explication aux entreprises! (écris, écrivons, écrivez)

10. Tim et Cam, __écoutez__ le discours de Craig! Il raconte son voyage en Asie. (écoute, écoutons, écoutez)

11. Vous voulez ramasser de l'argent? __Vendez__ des tablettes de chocolat! (Vends, Vendons, Vendez)

12. Suzanne, __choisis__ un projet de bénévolat dans ton école! (choisis, choisissons, choisissez)

13. __Réfléchissons__…! Qu'est-ce que nous pouvons faire? (Réfléchis, Réfléchissons, Réfléchissez)

14. Martina, __aide__ le professeur de 2ᵉ année! (aide, aidons, aidez)

15. Les amis, __travaillez__ au Centre pour la protection des animaux! (travaille, travaillons, travaillez)

Les mots de la même famille et les mots français / anglais (révision)

A **Trouve un mot de la même famille et utilise le mot dans une phrase.**
Answers will vary.

Exemple : familial(e) <u>Les enfants en famille d'accueil déménagent à peu près sept fois.</u>

1. une nation — <u>«Valises pour les jeunes» est devenu une campagne nationale.</u>

2. un(e) bénévole — <u>Les élèves du Ranch Ehrlo ont reçu le Prix de bronze pour leur travail de bénévolat.</u>

3. recycler — <u>Le comité de recyclage se rencontre après l'école.</u>

4. une discussion — <u>Nous sortons ce soir pour écouter le discours.</u>

5. déménager — <u>Les déménagements sont toujours difficiles.</u>

6. organiser — <u>Craig a créé l'organisation «Libérez les enfants».</u>

7. équiper — <u>Les élèves du Ranch Ehrlo ont fait une collecte d'équipement de hockey usagé.</u>

8. communautaire — <u>Aubyn a décidé de faire quelque chose dans sa communauté.</u>

9. encourager — <u>Vous avez reçu de l'encouragement de vos parents.</u>

10. une signature — <u>La communauté doit signer cette pétition.</u>

B **Ces mots ressemblent à des mots anglais. Utilise les mots utiles pour compléter les phrases.**

1. Nous faisons du travail bénévole dans notre <u>communauté</u>.

2. Nous avons décidé de nettoyer le <u>parc</u> près de l'école.

3. Nous faisons de la publicité pour encourager les gens à <u>recycler</u>.

4. Nous réussissons grâce à notre <u>esprit</u> d'équipe.

5. Nous préparons une <u>campagne</u> pour aider les jeunes dans les familles d'accueil.

Mots utiles

campagne	équipement	parc	une résidence
un champion	esprit	une pétition	
communauté	le gouvernement	recycler	

Les accents (révision)

Lis les phrases suivantes et ajoute les accents qui manquent : l'accent aigu, l'accent grave et l'accent circonflexe.

1. C'est compliqué d'être jeune aujourd'hui. (2 accents)

2. On peut décider d'aider les gens dans notre communauté. (2 accents)

3. Nous rendons visite aux gens dans les résidences de personnes âgées. (3 accents)

4. Les enfants sont placés en familles d'accueil en raison de problèmes dans leurs familles. (2 accents)

5. L'éducation et la protection des enfants doivent être des priorités. (3 accents)

6. L'esprit d'équipe nous permet de réussir. (2 accents)

7. Les enfants en familles d'accueil déménagent à peu près sept fois. (4 accents)

8. Le groupe de Craig prépare une pétition pour le gouvernement. (2 accents)

9. La collecte d'équipement usagé est un événement annuel. (4 accents)

10. Avec l'aide de ses amis, Aubyn fait de la publicité. (1 accent)

11. 100 000 jeunes sont impliqués dans l'organisation «Libérez les enfants!». (2 accents)

12. La journée «Équipez un champion» est maintenant un énorme succès. (4 accents)

13. Nous participons au programme de lecture à la bibliothèque. (2 accents)

14. L'école encourage les jeunes à faire du bénévolat dans la communauté. (5 accents)

15. Il n'est pas nécessaire d'attendre d'être adulte pour changer les choses. (2 accents)

Écoutons! Test de compréhension orale

A **Écoute ces jeunes. Choisis le club ou l'organisme approprié pour chaque personne.**

Exemple : ☐1 **a)** un club de lecture

☐5 **b)** un club environnemental

☐4 **c)** un organisme d'aide internationale

☐2 **d)** un organisme pour la protection des animaux

☐6 **e)** un centre d'accueil

☐3 **f)** un club de sports

B **Écoute bien. Des élèves décrivent des projets de bénévolat. Complète les phrases suivantes.**

1. Chris s'intéresse à…
   a) l'art dramatique.
   b) la construction.
   (c) la lecture.

2. Selina et Alana ont fait…
   (a) une collecte.
   b) une pétition.
   c) un discours.

3. Jake et Richard ont travaillé avec…
   a) des personnes défavorisées.
   (b) des enfants.
   c) des personnes âgées.

4. Caroline est allée…
   (a) à l'hôpital.
   b) à la soupe populaire.
   c) à la résidence pour personnes âgées.

5. Marc et son père ont participé à un projet…
   a) de nettoyage.
   b) de collecte d'équipement.
   (c) de construction.

6. Suzanne et son groupe veulent…
   a) faire une pétition.
   (b) protéger les oiseaux.
   c) aider les jeunes défavorisés.

7. Alex et Robert ont écrit des lettres…
   (a) aux entreprises.
   b) au gouvernement provincial.
   c) au Conseil de la ville.

8. Steven et ses amis ont vu un besoin…
   a) au centre communautaire.
   (b) à la résidence pour personnes âgées.
   c) à l'école.

9. Julie et Nayha ont demandé des contributions d'argent pour…
   a) les personnes défavorisées.
   b) l'hôpital.
   (c) la Société canadienne du cancer.

10. La famille de Meredith a fait du bénévolat dans…
    a) un hôpital.
    b) une résidence pour personnes âgées.
    (c) une soupe populaire.

Parlons! Test de communication / production orale

Prépare des réponses orales pour les questions suivantes.
Answers will vary.
Partie A : Réponds aux questions. Utilise le pronom *en*.

1. À qui est-ce que les élèves du Ranch Ehrlo ont distribué de l'équipement?

2. Pour qui est-ce que Aubyn Burnside a ramassé des valises?

3. Pour qui est-ce que Craig Kielburger a préparé des pétitions?

4. Pourquoi est-ce que les jeunes font du bénévolat?

5. À qui est-ce qu'on peut demander de l'argent pour nos projets?

6. Où est-ce qu'on peut vendre des tablettes de chocolat?

7. Où est-ce qu'on peut faire du bénévolat avec des enfants?

8. Où est-ce qu'on peut servir de la nourriture aux personnes défavorisées?

9. À quelle organisation est-ce qu'on peut donner de l'argent pour la recherche du cancer?

10. Où est-ce qu'on peut faire une collecte de bouteilles?

Partie B : Réponds aux questions. Utilise le vocabulaire de cette unité.

1. Quel travail bénévole est-ce que Aubyn Burnside a fait?

2. Quel travail bénévole est-ce que Craig Kielburger a fait?

3. Quel travail bénévole est-ce que les élèves au Ranch Ehrlo ont fait?

4. Pourquoi est-ce que Craig Kielburger est allé en Asie?

5. Quel travail bénévole est-ce qu'on peut faire dans un foyer pour personnes âgées?

6. Quel travail bénévole est-ce qu'on peut faire dans un hôpital?

7. Quel travail bénévole est-ce qu'on peut faire dans une école?

8. Quel travail bénévole est-ce qu'on peut faire dans un parc?

9. Quel travail bénévole est-ce qu'on peut faire dans une soupe populaire?

10. Quel travail bénévole est-ce qu'on peut faire dans une banque alimentaire?

Partie C : Donne une réponse personnelle.

1. Quel projet de bénévolat t'intéresse? Pourquoi?

2. À ton avis, pourquoi est-il important de faire du bénévolat?

3. Est-ce que tu connais quelqu'un qui fait du bénévolat? Qu'est-ce qu'il ou elle fait?

4. Qui est-ce que tu admires le plus? Aubyn, Craig, les élèves du Ranch Ehrlo? Pourquoi?

5. Qu'est-ce que tu veux faire pour tes 40 heures de bénévolat en 9e année?

Lisons! Test de lecture

A **Lis le texte *Jeunes bénévoles en action.***

Nafisa habite à Calgary. Elle a commencé à faire du bénévolat à l'âge de 12 ans. Ses expériences avec le *Youth Volunteer Corps* sont inoubliables. Elle s'est fait de nouveaux amis et elle a appris un tas de choses. Dernièrement, elle a gardé des enfants dans un refuge pour femmes. Son travail permet aux femmes de participer à des groupes d'aide.

Le *Youth Volunteer Corps* est une organisation nationale qui offre la possibilité aux jeunes Canadiens de 11 à 18 ans de faire du bénévolat. Le *Youth Volunteer Corps* a commencé à Calgary. Il a été fondé en 1992. Aujourd'hui, cette organisation existe dans plusieurs centres au Canada. En Ontario, il y a des groupes à Ottawa et à Brockville.

À Ottawa, les jeunes peuvent participer à un projet d'embellissement de leur école, à un club de devoirs, à un projet de graffiti comme art, à la livraison de sandwichs aux sans-abris, à une présentation contre l'intimidation à l'école, à un projet de tricot dans une résidence de personnes âgées, à une collecte de vêtements pour bébés, à des promenades de chiens, à un défilé de vêtements usagés, à la préparation d'un petit déjeuner pour de jeunes élèves, à une collecte de couvertures et au nettoyage du canal.

Le groupe de Julie a fait du bénévolat pour une organisation appelée *Habitat pour l'humanité.* Cette organisation bâtit et répare des maisons. Cette journée-là, Julie et son amie Alyssa ont préparé du bois pour la construction. Julie a peint le bois avec une substance noire et collante. Ensuite, Alyssa a agrafé du plastique sur le bois.

À Brockville, les jeunes peuvent participer à un festival annuel qui attire les touristes, à un programme de repas livrés à la résidence de personnes âgées, à un programme de garderie pour de jeunes parents, et à la préparation et au service de repas chauds.

Michelle a 16 ans. Elle a participé à un carnaval pour jeunes enfants. «Le résultat a été formidable! Les sourires des enfants ont fait toute la différence», a dit Michelle.

Aris a 14 ans. Il est membre du *Youth Volunteer Corps* parce qu'il veut aider les gens. Il a participé à une collecte de peintures toxiques et à une conférence pour les jeunes.

Crystal habite à Saskatoon. Son amie et elle ont fait du bénévolat dans un abri pour animaux. Pendant une journée d'activités spéciales, elles se sont déguisées en chiens et en chats à l'aide de marqueurs! Malheureusement, elles ont aussi fait une découverte embarrassante… Les marqueurs étaient permanents! Crystal rit encore de cette expérience!

Lisons! Test de lecture (suite)

B   **Relis le texte et réponds aux questions suivantes.**

1. Qui peut devenir membre du *Youth Volunteer Corps*?

Les jeunes Canadiens de 11 à 18 ans peuvent devenir membre du Youth Volunteer Corps.

2. Où et en quelle année a été fondé le *Youth Volunteer Corps*?

Le Youth Volunteer Corps a été fondé à Calgary en 1992.

3. Identifie un projet de bénévolat à Ottawa qui aide les enfants à l'école.

Le club de devoirs est un projet de bénévolat à Ottawa qui aide les enfants à l'école.

4. Qu'est-ce que Julie et Alyssa ont fait avec le bois?

Elles ont préparé le bois pour la construction de maisons. Julie a peint le bois et Alyssa a agrafé du plastique sur le bois.

5. Identifie un projet de bénévolat à Brockville qui aide les gens défavorisés.

La soupe populaire aide les gens défavorisés à Brockville.

6. Qui a fait du bénévolat dans un refuge pour femmes?

Nafisa a gardé des enfants dans un refuge pour femmes.

7. À quel projet est-ce que Aris a participé?

Aris a participé à une collecte de peintures toxiques et à une conférence pour les jeunes.

8. Comment est-ce que Crystal et son amie ont été embarrassées?

Elles se sont déguisées en chiens et en chats avec des marqueurs permanents.

9. Selon Nafisa, qu'est-ce que le *Youth Volunteer Corps* a changé dans sa vie?

Elle s'est fait de nouveaux amis et elle a appris un tas de choses en faisant du bénévolat avec le Youth Volunteer Corps.

10. Selon toi, quel projet décrit dans l'article t'intéresse le plus? Pourquoi?

Answers will vary.

Écrivons! Test d'écriture

Chaque mois, le journal de ta ville fait le profil d'une personne qui a contribué à la communauté, au pays ou au monde entier.

Sur une feuille de papier, écris une lettre d'au moins 20 phrases au journal pour recommander une personne pour ce profil. Tu peux recommander une personne que tu connais ou tu peux recommander Aubyn Burnside, Craig Kielburger ou les élèves du Ranch Ehrlo.   *Answers will vary.*

Utilise les questions suivantes pour t'aider à écrire la lettre :

- Introduction (Écris cinq phrases.)
    - Comment t'appelles-tu?
    - Quelle école fréquentes-tu?
    - Qui est-ce que tu veux recommander pour le profil de journal?
    - Comment est-ce que tu connais cette personne?
    - Où est-ce que cette personne a fait une contribution importante?
- La situation (Écris cinq phrases.)
    - Quelle est la situation?
    - Pourquoi est-ce que cette personne a voulu changer la situation?
- La solution (Écris cinq phrases.)
    - Qu'est-ce que la personne a fait pour changer la situation?
- Les résultats (Écris cinq phrases.)
    - Quels sont les résultats de leurs actions?
    - Quelles sont les réactions de la communauté?

Utilise des verbes au *passé composé*.

Utilise des mots de vocabulaire de l'unité.